時間旅行社

望日

目錄

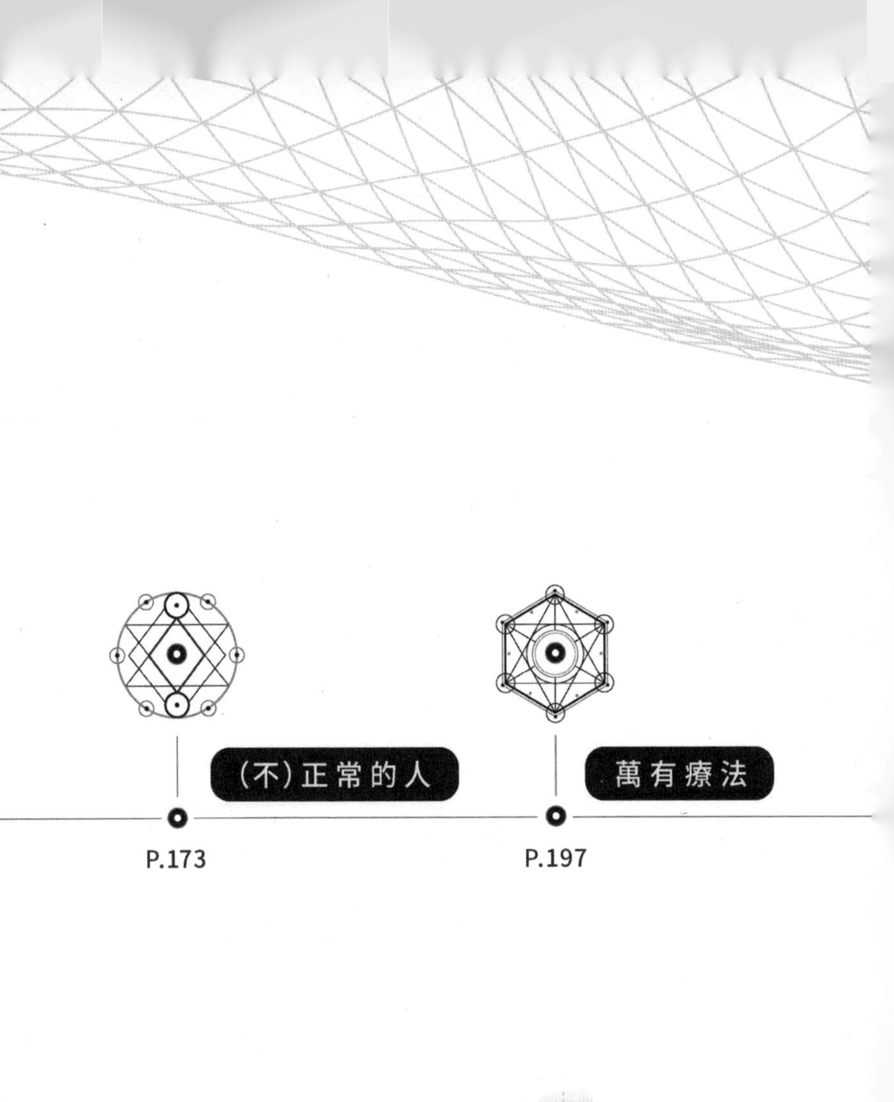

免費的時間旅行

1

「先生，不好意思，我掉了隱形眼鏡，什麼都看不見。你可以替我找找嗎？」一把悅耳、平穩，又不大尖銳的女聲從我的身旁傳來。我側身一望，看到一名女子蹲在地上，展現着一臉彷徨無助的愁容，向剛路經該處的我求救。

我得承認，當刻的我太過理性，沒有被她的不幸和誠意打動，反而是為眼前的景象愣住了。

首先，這種老掉牙的劇情，今時今日連那些只有家庭主婦追看的電視劇都不用了，為什麼會發生在我的身上？

其次，這是我人生中第一次被其他人以「先生」來稱呼，總覺得有點不自在。我只是大學一年級的學生，這裏又是香港科技大學，她叫我「同學」不是更貼切嗎？

不過，我稍為打量了這名女士後，大概猜到原因。她看起來比一般大學生成熟，或許是高年級生或研究生，經歷過「社會大學」的洗禮，習慣了以先生、小姐稱呼一般人吧？

算了，這並不是重點，重點是她的請求不合理也不適當。

「小姐，我不能幫你。」我直接回絕這名女子的請求，並解釋：「隱形眼鏡掉了在地上，就算我替你找回也是不潔的，不宜再佩戴。」

「誒？」她似乎沒料到我會如此回應，怔了一怔：「不怕，我有隱形眼鏡清潔藥水在身，可以沖先一下才再佩戴。」

「不行！」我斬釘截鐵地說：「即使用清潔藥水沖洗，仍不能殺滅上面所有細菌。而且用藥水沖洗過後，你還要再用生理鹽水沖走隱形眼鏡上的藥水，方可佩戴，我想你不會連生理鹽水也有吧？」事實上，我很懷疑她是否真的有清潔藥水在身，畢竟這東西並不會在街上使用。

她抬起頭，半瞇着眼睛望向我，看了看，不解地問：「你沒有戴眼鏡，也是佩戴隱形眼鏡嗎？為什麼會對這方面如此熟悉呢？」

「沒有，但這是常識吧？」我回應。

「你的常識真廣泛啊。」

我不肯定她這句話是真心稱讚還是反諷，只好無奈地微笑了一下。不過，她的煩惱顯然未得到解決，她惆悵地低下頭道：「那我現在怎辦？我的近視很深，沒眼鏡什麼都看不見。」

我瞥了手錶一眼，留意到距離下一節上課時間還有半個小時，反正有幾個課程的測驗剛完結，現在比較空閒，於是建議：「你是住在宿舍嗎？我送你回去吧。」

「噢，對，」她雙眼閃出亮光，高興地說：「好啊，如果不麻煩你的話。」

「那你住在哪個宿舍？」

「我……」她猶豫了半晌才說：「我住在最近這裏的宿舍。」

「那即是Hall 1吧？我送你回去。」

「謝謝。」她微笑着道謝。

由於我跟這名女子只是剛認識，拖着她的手似乎不大禮貌，於是我請她把手搭在我的肩膀上，由我帶路。還記得入大學前的那個暑假，我並沒有像其他學生一樣去找暑期工，而

是去了當義工。期間我曾參與一個活動，需要帶領視障人士，當時我從負責的社工身上學會了基本的領路法，讓視障人士抓着上臂一同前行，那時學會的技巧現在正好派上用場，只是我改為請女子搭着我的肩，這樣應該沒抓着上臂那麼尷尬，也不怕被我的同學或女朋友撞個正着而誤會。

我們沿路走着之際，我閒極無聊，開始自顧自思考起來。想着想着，我忽然心頭一緊，覺得這個女子有點不尋常——她在校園內稱呼我作「先生」，碰巧同時丟掉兩隻隱形眼鏡，又不知何故自稱身上帶有隱形眼鏡清潔藥水。而且，回想起來，剛才我問她住在哪個宿舍時，她的回答是「最近這裏的宿舍」，共有七個字。她直接答我兩個字的「Hall 1」，不是簡單易明白得多嗎？

她不直接答「Hall 1」，最大可能是她根本不熟悉科大，不知道有什麼宿舍，只好以「最近這裏的宿舍」來引導我說出答案。這就像那些「猜猜我是誰」的電話騙案，來電者故意不說出自己的身分，由接電者自己猜並說出心中答案。

想到這一連串的疑點，我的理智清楚而肯定地告訴我：這個女人有古怪！

沒料到，就在同一時間，那個女人停下了腳步，稍為用力按住了我。我的危機意識瞬即響起警號，馬上甩開她的手，轉身直瞪着她，堅定地問：「你到底是誰？」

那個女人似乎已有準備，露出淺淺的微笑：「你不只學識廣博，還頗聰明和機警的……」

這個女人終於要露出狐狸尾巴了！

免費的時間旅行

2

「我其實是香港電台的記者，正在進行社會實驗，測試不同年紀和背景的人對需要幫助的人的反應。」

我的好友張義豪正在學生飯堂，用手機播放着當日我和那名女記者的片段。

看到自己成為測試對象並出現在影片中，總覺得有點尷尬。我看得臉泛微紅，只好隨意找個話題，引開注意力：「還好我當日覺得她有點詭異時，沒有無禮地喝罵她，否則就丟臉了。」

「現在網民對你的評價不俗啊，他們說覓真你樂於幫助別人，但同時保持着理性和適當的戒心，以現今的大學生來說可說難得，可惜身高和樣子就平凡了一點。」張義豪說。

我翻了翻白眼：「最後那項評語是多餘的。其實我當時也不是特別想去幫她，只是她提出的要求不合理，擔心她有危險，才跟她多說幾句。」

我的全名是陳覓真，香港科技大學物理系一年級生。張義豪是我的同學，花名是「兩毫子」，因為「義豪」跟「二毫」同音而得名。我和他在中學時已是同學，又剛巧一起升讀同一所大學和同一學系，於是在這幾個月內逐漸建立了深厚的友情。

兩毫子續說：「那些人還說那名記者身材不錯，但你顯然毫不在意，沒有亂瞄對方的身體，也沒因對方看不清楚而毛手毛腳，讚賞你正直，應該是好男人。阿琛應該可以安心，不用擔心男友會『出軌』吧？」

在場一起吃午飯的還有我的女友程蝶琛，也就是「阿琛」。她也是物理系的同學，我們在迎新營內認識。她跟一般女生不同，性格耿直而理性，認識至今從沒發小姐脾氣，可能是理科女生的緣故吧？

「阿琛才不會在意這些事，對吧？」我望向阿琛問，其實想拐個彎來讚賞自己。

「即使你有偷望，我也不會在意，畢竟性是動物的本能之一嘛。」阿琛的反應理性得令人咋舌，我也不知如何應對下去。

兩毫子說:「現在覓真成為了網絡紅人,在大學內應該會有不少人認得你吧?」

「怎會?」我質疑:「這種小事,香港人才不會記住吧?」

「有啊,」阿琛搶着道:「剛才乘搭升降機時,後面有人認出你,輕聲討論着,說你的真人看起來比片段中更正直,也更平凡。」

「真氣人!為什麼那些陌生人都要加多餘的評論啊?」我裝作不快地說,他們二人都咯咯大笑起來。

我們有一搭沒一搭地邊吃午飯邊聊着,到我們的飯都吃光了,我才想起今日其實還有一件「正經事」要跟他們商量。

我從背包中掏出邀請函:「這是我今日在儲物櫃發現的,你們覺得怎樣?」

「免費的時間旅行?」兩毫子接過邀請函,讀出標題後,放到他和阿琛之間,二人開始一同閱讀着——

免費的時間旅行

陳覓真先生：

恭喜你成為我們的特選客戶，獲邀參加「時間旅行」體驗。是次體驗完全免費，還包括最多三程時間旅行，是被我們選中的特選客戶才獨家享有的優惠啊！為免向隅，請立刻聯絡我們，預約參加時間旅行簡介會，去一趟盡興的時間旅行吧！

時間旅行社

「那就是說，」兩毫子笑意盈盈地嘲諷我：「你上星期是社會實驗的測試對象，這個星期是電視台整人節目的作弄對象？」

阿琛也加入澆冷水：「這太假了吧？你自己也是物理系學生，應該知道以現今科學水平來說，距離時間旅行實在太遙遠，更遑論時間旅行到底是否在科學上可行。霍金就提出過時序保護猜想，認為宏觀尺度的時間旅行不可行。」

事實上，我本來對這個時間旅行很有興趣，卻遭他們異口同聲地揶揄。阿琛又剛巧提起科學，自小愛好和醉心於科學的我忍不住反駁：「但在理論層面上來說，時間旅行並非不可能。蟲洞、封閉類時曲線、提普勒柱體等都是愛恩斯坦提出的廣義相對論中容許的解。」

「數學上有解，不代表現實上可行。如果可以回到過去，因果律就會被打破，那些『祖父悖論』要如何解決？」

「平行宇宙理論或諾維科夫自洽性原則就能避免『祖父悖論』。」

兩毫子看到我和阿琛你一言我一語地爭辯，而且愈來愈激動，決定打斷我們道：「不好意思，你們可以說回人話嗎？我聽不明白你們在說什麼。」

兩毫子是科幻小說迷，不可能沒聽過這些基本理論，顯然只是裝傻來打圓場，不想我和阿琛傷和氣。我明白他的心意，也無謂拆穿他，靜靜地閉上嘴。

我們三人沉默了半晌，阿琛已平復下來，關切地問：「覓真你真的打算參加那個時間旅行簡介會？我總覺得有可疑。說不定跟那些聲稱贈送免費優惠券的騙局一樣，要求『幸運兒』到現場聽什麼旅遊講座，然後疲勞轟炸參加者，令他們心軟購買昂貴又沒用的旅遊套票。」

我看得出阿琛是關心我才如此着緊，並不是有意跟我吵架，我也平靜下來安撫她道：「你放心，我沒有錢，又未有信用卡，就算是騙局，也無法向我騙財。而且是先去簡介會了解詳情，再決定是否參加真正的活動；如果簡介會不對勁，我會懂得馬上離開的。」

然而阿琛似乎仍未放心：「常言道『免費才是最貴』，我始終覺得這個『時間旅行社』不懷好意。就算你沒錢被他們騙，也不一定不會有損失。如果你一定要去的話，不如我陪你一起去吧。」

「但活動條款寫着，只限受邀人士出席。」

「這樣就更令人不安……」阿琛說罷低下頭來，盯着飯堂的桌面。

我以為她的問題已經問完，怎料不一會她又質問我：「說起來，為什麼時間旅行社有你的名字，還能把邀請函放到你的儲物櫃呢？覓真你最近有利用個人資料來登記什麼嗎？」

「沒有。」我勉強保持平靜回應：「最近除了入學註冊外，我根本沒向任何人提供過個人資料，更不可能告訴別人我的儲物櫃位置。既然時間旅行社知道我的儲物櫃位置，或許這次活動他們是跟大學合作，才會有我的資料吧。」

「如果是跟大學合作，應該會有大學的校徽，但這邀請函上沒有。會不會是他們入侵了大學的系統，偷走了學生的個人資料啊？」

「你擔心得太多了。我只不過想去了解一下時間旅行是不是真的。如果是真的，原理又是什麼。」

「想了解世界沒有問題，但首先也要顧及自身安全。」

「唉，算了，我不去好了。」我無奈地屈服，兩毫子愛莫能助地拍拍我的肩膀，暗示我是敵不過女友的了。

老實說，我把這邀請函給他們二人看，原意是希望他們為我有機會去見識一下而感到高興。儘管我本來就覺得所謂的時間旅行只是噱頭，到頭來可能只是一群科學家或科幻小說作家分享最新科技發展或對未來的預測，畢竟以現今的科學水平來說，連太空旅行也未能平民化，又怎麼可能會有真的時間旅行？

可是，阿琛這樣對我大潑冷水，過度擔心我被騙，反而令我不愉快，心情變得煩躁起來。堂堂一個成年男人，加上我只是個沒錢沒地位的學生，可以被騙什麼？除非他們把我抓走作人體販賣或活摘器官，但這種事應該不會在香港發生吧？而且，我也說過我會小心行事，網民也讚我機警，為什麼我的女友反而不信任我呢？

好了，現在我為了敷衍她而答應不去，什麼事都解決了吧？唉！

我以為事情將會就此告一段落，然而阿琛不知何故仍念念不忘，在我們三人離開飯堂、回到大學大堂時……

3

我們三人回到大學大堂，發現大堂的一角人山人海，好奇走近看看，發現原來是由大學學會「科幻會」舉辦的「科幻週」正在舉行開幕禮，多種活動同時進行，當中的小型魔術表演吸引了學生駐足欣賞。在表演旁邊，設有科幻作品的介紹和展覽，還有銷售科幻作品的和招收新會員的攤位。

我自幼對科學很感興趣，很想以探索宇宙真理作為終身職業，因此選讀了物理系。回想開學之初，我曾想過加入科幻會，不過後來仔細一點想，科幻會研究的只是科幻，而不是科學；那些科幻故事總是充滿着不切實際的幻想，我不如專心學業，將來從事科學研究更有意義吧。

「呀！是單車。」阿琛這時突然指着科幻會招收新會員的攤位大喊。她口中的「單車」，不是那種利用雙腳踩踏板前進的代步工具，而是一名物理系二年級生的名字，姓單名車，讀作「善居」。他是我們的學長，在早前的迎新營中阿琛跟他同組。阿琛提起他時，總是稱讚他聰明和熱衷於科學理論，又說他很喜歡胡思亂想，有時候太過集中於思考而呆呆滯滯的樣子很可笑。

女友稱讚其他男人，身為男友的我只是想起也感到不是味兒，我亦不明白為何他熱衷於科學理論卻去當科幻會的幹事，於是對於阿琛的話只敷衍地回應：「哦，是嗎？」

不過，她仍沒有死心，還興高采烈地建議道：「不如我們過去跟他打個招呼？」

「有什麼好打招呼？」我沒正眼望向她說。

或許是我的語氣不佳，兩毫子擔心我會得罪女友，用手肘輕碰了我一下以作提示，我只好裝大方補上一句：「你想去你去吧。」

「我們一起去吧。剛巧看到他，我突然想到我們可以去問問他的意見。」

「意見？」

「就是時間旅行的事啊！」阿琛微微吃驚地問：「你這麼快就忘記了？」

我沒有忘記，只是沒想到阿琛竟然會舊事重提。我吸了一大口氣來壓下心中的不快，盡力放鬆臉部抽緊的肌肉說：「我不是答應過你不去了嗎？不用問什麼意見了。」

「我知道你是怕我擔心才這樣說，心裏面其實是很想去。我看到科幻會正舉辦科幻週，就突然想，那個時間旅行說不定是科幻週的其中一個活動？」

我差點嘛起嘴來說這句話：「你剛才不是說過，活動如果是跟大學合作，應該會有大學的校徽嗎？」

「可能學會沒有使用大學校徽的權限嘛。」

「如果是科幻會辦的又怎樣？」

「我之前是怕你被騙，如果是科幻會辦的話就不怕了。他們有你的名字和儲物櫃位置也較合理。所以你現在是不想去了嗎？」

不是我不想去，是我被你搞糊塗了！——我很想說出這句心底話。老實說，我本來是想去見識一下的，但阿琛過度擔心

我受騙而問長問短後，我已失去了興致，打算當作沒看過那邀請函。她再次勾起我的不快，我不勝煩擾，最終還是忍不住搶白她：「時間旅行是科幻會辦的話就沒問題，其他人辦的就是騙人，這真是有邏輯的想法。」

「我不想跟你吵，」她瞪了我一下，卻沒明言什麼：「我們過去問一問就知道。」

「不用問，在這裏已能看到，他們的攤位和展板都沒有提及這活動，顯然時間旅行不是科幻週的一部分。」

「那我們也可以索取他的意見，看看他怎樣看那個時間旅行的活動。」

我氣上心頭，禁不住吐出了心中的疑問：「為什麼你就非要去找那個單車不可？」

我的話音剛落，兩毫子已心知不妙，想站到我們二人之間避免我們繼續吵下去。可是，阿琛無法再忍受我的冷言冷語，推開了兩毫子，提高了聲量問：「你是什麼意思？」

既然她直白地問，那麼我也不再壓抑心中的想法：「應該是我問你對人家有什麼意思。我知道，你在迎新營時已對他有好感，但我想不到你現在仍對人家念念不忘！」

「你到底知不知道自己在說什麼？竟然在吃醋？」阿琛氣得跺着腳說：「他是我的學長，僅此而已。如果我對她有好感，就不會答應做你的女朋友。我是擔心你受騙，才要去打擾和勞煩他。算了，好心沒好報，我不理你了。」話畢，阿琛逕自朝演講廳的方向離開了大堂。

我呆站在原地，目送阿琛的身影遠去。兩毫子也怔了一怔，然後連忙以電視劇的對白催促我：「你還站在這裏？快去追啊！」

「沒用的。」我逐漸冷靜下來，理性地分析：「現在大家都怒火攻心，什麼話都聽不進去，我隔天再去找她吧。」

「真是的……到時你記得要道歉。雖然阿琛平日爽朗，但終究是女孩子，是要人疼惜和呵護的。」

「你說得沒錯，但以她這樣的行徑，正常男人都會不高興啊。」

兩毫子卻不同意，白了我一眼：「奇怪的是你！你沒聽過那個傳聞嗎？那個單車學長正身處三角關係之中，又怎會有閒暇再去理會其他女人？」

「我怎知道？我從來不愛聽八卦。但那就是說，是我無知而怪錯好人、亂吃醋了？」想到這裏，我重重地嘆了一大口氣：「唉！算了，我沒心情去上課，現在就去聯絡時間旅行社，問一下簡介會的詳情，看看他們的葫蘆到底賣什麼藥，稍後再告訴你們結果吧。」

我看到兩毫子對着我眨了眨眼，卻沒有回應，於是問：「怎麼了？你也想勸阻我嗎？」

「倒不是。」阿琛不在，兩毫子才道出自己的想法：「其實我覺得你去見識一下不是壞事，畢竟活動免費，而且正如你早前所說，你沒有錢財給人家騙，同時也因為你實在太平凡而沒有美色，不怕被騙財騙色，不可能有損失。」

「喂！」我裝作不快拍了他的肩膀一下，我們二人一同傻笑起來，並打算就此分別。他回去演講廳上課，順道替我安撫一下阿琛；我則留在大堂的一角，聯絡時間旅行社。

3

臨行前，兩毫子從背囊拿出新買的即影即有相機，說要試用一下之餘，順道跟我拍「遺照」，萬一我被抓或被殺，他也可以拿着照片貼尋人啟事或認屍。我是理科生，才不會對他的不祥話動容，於是便匆匆跟他合照。他拍了兩張，自己保留一張，另一張給我，還在給我的那張相片上簽名，說是「開光」，保佑我平安，又好笑又胡鬧。照片是2R的大小，我於是把它放到了銀包內。

我們分別後，我按照邀請函所示，發了個訊息給時間旅行社；不消數十秒，便已收到他們的回覆，最近的簡介會竟然將於兩個小時後舉行。這真是天助我也！我本來就不想上課，於是馬上起程前往簡介會的舉行地點。

4

同日下午二時半，我到達了啟德郵輪碼頭。

據時間旅行社的回覆，簡介會的舉行地點是在一艘停泊在啟德郵輪碼頭的豪華郵輪上。在我記憶之中，我出生至今都沒登上過郵輪，能夠藉此機會見識一下，實在是為這趟旅程錦上添花。

不過，我倒是花了點功夫才成功到達碼頭。對老是在科大的我來說，啟德郵輪碼頭位置偏遠，我起初不知道要如何前往，在網上搜索了一會，才找到可在觀塘或九龍塘乘坐巴士；我離開科大到達九龍塘的巴士站後，驚覺每三十分鐘只有一班車，幸而我只等候了幾分鐘，下一班車就開出，否則我恐怕無法準時到達簡介會所在的郵輪。到達碼頭後，那艘郵輪倒是很好找，因為他停泊在碼頭的指定泊位。

我站在那艘看來有超過二百米長的郵輪前，除了感到渺小，也不禁覺得自己與科技脫節——原來現今的郵輪已不一定由合金建成？郵輪的亮黑船身在陽光下顯得很有光澤，閃閃生輝，那顯然不是普通合金能夠做出來的效果，感覺上有點像鋼琴面的烤漆，但那折射光線的耀目度又有點像玻璃。當然，玻璃不可能用來造船，但如果只是尋常的烤漆，應用

在經常搖晃和沾水的船身的話應該早已脫落，不可能這麼完整。看來那是我不認識的東西或技術，是某種先進的特殊纖維，又或者是在合金面電鍍上特殊塗層吧？

登上郵輪前，我再次確認身上沒有多餘的財物——我今早從宿舍去上課時，身上本來就沒多餘現金，八達通卡內餘額只有數十元，臨離開校園前我把身分證留在大學儲物櫃內，以防主辦單位騙財不遂，會影印我的身分證去申請信用卡或貸款。這樣應該萬無一失了。我還暗自決定，簡介會完結後，回程返大學時要買點甜品給阿琛，用來向她道歉。她常說，吃過甜品心情就會好，她不高興時用甜品攻勢最易奏效。

身穿鮮紅色套裝的女接待人員招待我問：「歡迎參加時間旅行簡介會，請問你有攜帶邀請函嗎？」

「呃……」我稍為搜索身上衣物的口袋，想起那張邀請函被我連同身分證一同放在儲物櫃內，沒有拿過來，也沒留意到條款上有沒有寫着必須攜帶過來。我只好不安地抓着頭問：「我忘了，請問一……一定要帶來嗎？」我還未說完整句話，已感到一點又一點的冷汗從背部不斷冒出，擔心因為自己的過失而錯過機會。

還好，對方的回應令我稍稍釋懷：「不要緊，我替你查一查紀錄。」

她接着指示我站到接待櫃位前。由於櫃位上方設有擋板，我看不到她在做什麼，只聽到幾下簡單的按鍵聲後，她看了看櫃枱內，又看了看我，不一會，櫃位內傳出微弱的聲響，她就微笑着對我說：「已確認你是我們的特選客戶，我的同事會帶你進場，等待簡介會正式開始。」

站在她身後的另一位穿着同樣制服的年輕女子揚了揚手，示意我跟着她走。我跟在她的身後，沿着走廊不斷前進和拐彎之際，思考着剛才接待人員是如何確認我的身分。剛才接待櫃位後藏有電腦應該是不爭的事實，但在整個過程中，我只是站在指定位置，沒做過任何動作，也沒回答過任何問題，那麼判定我是否特選客戶的方法，照道理應該是容貌辨識了。換句話說，時間旅行社除了有我的名字和儲物櫃位置外，還有我的相片，然而他們不像是跟大學合作，所以他們是入侵了大學的系統嗎？

「啪嚓！」在我出神地思考之際，引路的女子突然停了下來，猝不及防，我整個人撞了上去，差點把她撞跌。

我連忙道歉：「呀，對不起。」

她站穩再轉身望過來時，臉帶笑容，似乎毫不在意。她沒有就碰撞說什麼，只公務式地伸手示意，並道出之後的安排：「這裏就是簡介會舉辦的房間，內裏備有微薄的茶點和飲品，歡迎隨意享用，介紹會將於數分鐘後開始。」

我不好意思地抓抓頭，按她的指示進入該房間。與其說是房間，我覺得稱呼這裏為演講廳或宴會廳更適合，因為這裏的面積出乎意料的大，面積足以媲美正規的籃球場。場內的最前方設有講台，講台下是數列椅子，但這些合共只佔場地約四分之一的位置。在場地中央的一邊，設有引路人員所說的「微薄的茶點和飲品」，但在我看來一點也不微薄——有精緻可愛的糕點、香脆可口的煎炸小食，還有令人垂涎的熱盤；至於飲品方面，除了常見的茶和咖啡外，亦有紅酒、果汁和紙包飲品。

然而醉翁之意不在酒，我專程來這個簡介會，並不是為了吃吃喝喝，而是為了見識一下所謂的時間旅行和拆穿他們的騙局（儘管我還是吃了幾件小食）。這場簡介會在郵輪上舉行，準備的食物和飲料亦不簡單，看來所費不菲。可是，據邀請函所說，時間旅行是免費的，時間旅行社不像是慈善團體，那麼他們要如何收回成本呢？

這時已到達場內的人連同我在內只有十人，他們疏疏落落地分布在房間內的不同位置。我稍為打量了一下眾人，當中有男有女、年齡各異，有跟我差不多年紀的，也有些中年人，但就沒有更年長的，或許年紀再大的人對時間旅行不感興趣吧？

場內眾人各自各活動，有人在吃東西，有人坐在講台前發呆或把玩着手機，卻沒有人在互動或交談，他們看來甚至無意跟其他人交流——我剛巧跟一名中年男士對上了眼，我輕輕揚手示好，他卻別過臉去。算了，這種冷漠的氣氛早已是香港的常態，即使我和我宿舍的鄰居也是這樣，更遑論這些可能只有一面之緣的陌生人。

十分鐘過去，再有兩人進入房間，之後工作人員就把大門關上，並着我們安坐，簡介會即將開始。

免費的時間旅行

房間的燈光變暗，一名穿着鮮紅色西裝的男士走到講台上，鮮紅色看來是時間旅行社的代表顏色。說起來，我會說那是男士，只因為他的身形是一般男性的骨格，實際上他戴着太陽眼鏡、紅色口罩、紅色手套和紅色禮帽，幾乎把四肢和五官都完全遮蓋起來。

講台上的男子揭開這場簡介會的序幕：「歡迎大家參加時間旅行簡介會，我姓時，是這次活動的導遊，大家可以叫我『時導遊』。」

時間旅行的導遊竟然姓時？有沒有這麼巧合啊？說不定是假姓，以便騙局被我們拆穿後能迴避控告。

「閒話少說，我將會直接說明『時間旅行』的詳情、大家有什麼需要注意的事項等。說明途中大家如果有任何問題，請留待完結後的問答時間提問。感謝各位的合作。」

台下沒人提出異議，時導遊就繼續說明：「時間旅行，顧名思義，就是參加者能夠穿越時空，到訪其他時間點的地球。在這次的時間旅行體驗中，你們將會前往未來的世界，一探各種未來科技，親身感受一下未來世界的環境和變化。」

他說「親身感受」，即時間旅行是真的？怎麼可能？待會我一定要問問他有關技術上的問題。

「正如邀請函所述，時間旅行體驗是完全免費，過程中所需的必需品、用具、消耗品等，全部由時間旅行社負責，你們無須事前準備。而且，各位可享最多三程時間旅行，每次旅行開始前，你們可自行決定是否參加或退出。」

這有點奇怪，既然可以免費享用三程，為什麼會有中途退出的選項？呃，對，可能會有些人參與過第一程時間旅行後發現「貨不對辦」，或者發現未來並沒有什麼特別而覺得悶，更重要是上班族可能沒有這麼多假期去旅行，才會選擇退出吧？

「由於是次活動免費，為了集合成行以節省成本，每程時間旅行的出發時間將由我們安排並事先通知各位。」

稍頓一下，時導遊說：「必須說明的事項就只有這些。接下來是問答環節，你們有什麼問題嗎？」

說明比我想像中短，而且完全沒有提及任何技術詳情，不知道是有心隱瞞還是怎樣，這反而令我更在意。

我在腦海中整理着剛才的說明，並思考應該如何發問。這時場內有名女士率先舉手，提出了第一道問題：「請問時間旅行是真的嗎？我們真的可以去未來世界？」

「是真的，」台上的時導遊斬釘截鐵地回應：「不是幻想或虛擬世界，我們是真的前往未來的世界。順帶一提，我們第一程前往的時間點是五年後。你們想知道五年後的世界會變成怎樣？香港會變成怎樣？樓價是升還是跌？期間會否有官員下台？你們都可以親自見證。」

簡介會的參加者之間一直沒有交流，聽到時導遊這個答案後，竟不禁輕聲討論起來。他們似乎跟阿琛的想法差不多，以為時間旅行是假的、只是噱頭，沒料到時導遊竟如此肯定地確認。不過，我並沒有加入討論，畢竟由始至終，時間旅行社仍未從科學層面說明過什麼，不是幻想或虛擬世界，也可以只是由演員飾演的虛假「真實世界」。

在我胡思亂想之際，有人作出第二道提問：「請問我們可以選擇前往哪一個時間點嗎？」

「很抱歉，是不可以的。」時導遊回應：「正如早前所說，畢竟這次只是免費體驗，為了節省成本，時間點將會由我們選定，你們只能選擇是否參與。這點實在不好意思。」

就像一般講座的問答環節，只要帶起了氣氛，參加者就會踴躍地發問。第三道問題緊接而來：「我們在時間旅行期間，可否帶走任何東西呢？」

「唔……考慮到時間旅行的性質……」時導遊猶豫了半晌才回應：「只要是不犯法，不是偷走屬於人家的東西，你們可以帶走在旅行時屬於你們的東西。」

答案一出，台下馬上起哄。想當然爾，如果我們把屬於未來的東西帶回現在，無論是對個人或對社會，肯定會造成難以預測的影響。比方說有人把載有未來彩票中獎號碼或股票價格的字條帶回來，就能輕易成為富翁；把載有未來事件的書或報章帶走，也可能減少天災的傷亡或改變歷史。

然而時導遊的回答基本上是「沒所謂」的意思，我在想，是否他們覺得即使阻止我們攜帶，資訊還是可以留在記憶之

中，所以從結果而言沒有分別？但如果我們攜帶的是實物，例如屬於未來的科技發明，這就絕對有分別啊……

我的疑問似乎亦是不少人的疑問，一名坐在我同列的男士提出質疑：「我們可以從時間旅行中帶走東西，不就會對其他時間點的歷史和科技產生影響嗎？」

「你們想得太多了，」時導遊說：「其實你們帶什麼也不會造成明顯的影響。你們盡情享受旅行就好。事實上，現時並沒有法例規定我們不能從時間旅行中取走任何東西。」

那是因為我們的法例未能與時並進嘛！——我這樣想。然而想深一層，就發現這個想法有問題，因為我們現在根本未有時間旅行的技術，法例又怎可能預知未來呢？

時導遊的話中還有一點令我很在意。他說我們想多了，無論我們帶什麼也不會造成明顯的影響。我靈光一閃，想起阿琛提出過的「時序保護猜想」，但在這個情境中，「猜想」所指的不是我們無法回到過去，而是我們無論做什麼都影響不了歷史。

不過，說到底，我仍對時間旅行的可行性存疑。雖然我只是大學的「新鮮人」，仍未有機會接觸到最頂尖的物理知識，但如果這種驚世技術已被發明出來，我們不可能全不知情。即使是未公開的技術，它也不會憑空出現，總有些先導技術先面世，例如能跟其他時間點通訊息、製造蟲洞的方法、發現超光速粒子，或證實封閉類時曲線存在的觀察等。這即是說，照道理時間旅行不大可能已被發明出來。

眼見未有人作出下道提問，我馬上把握機會舉手：「我想請問一下，時間旅行的原理是什麼？」

「原理嘛，」時導遊頓了一下才說：「這涉及商業機密，恕我未能回答。但請大家放心，時間旅行是絕對安全，我們保證大家不會在過程中受傷。」

不知為何，此刻在場的其他參加者都對我投以鄙夷的目光，我亦聽到他們低聲冷笑，彷彿是我問了不該問的問題。我實在不明白，我只不過想了解一下原理，評估一下時間旅行的真偽，有什麼好笑？

還記得小時候作文寫「我的志願」，我說要當科學家，父母和老師都說有大志，他們會很高興、很支持；可是，今時今日的小學生如果再寫想當科學家，不少家長會很傷心，因為在香港當科學家賺不了錢，要當醫生、律師、金融相關的行業才行。

我萬萬預料不到，這種情況竟發生在已經是大學生的我身上。他們不會對時間旅行的原理感興趣嗎？為什麼他們只懂問流程上的表面東西，對於有興趣了解原理的我卻投以鄙夷的目光？他們有沒有想過，如果這個世界沒有人有興趣去了解世界真理，科技發展就會停滯不前。例如我們現在經常使用的GPS，就已經應用了愛恩斯坦提出的狹義相對論和廣義相對論，分別去修正因速度和重力而導致的時間誤差，才能令定位準確。當然，這些人肯定只會使用，而沒有興趣了解背後涉及的原理……

「請大家不要笑，」在我仍心有不忿之際，時導遊突然當眾為我平反和稱讚我：「他的問題其實是今日我聽過最有意思、最值得回答的問題，奈何我不方便作答。假若你實際參加過時間旅行後，推想到其原理，不妨再找我確認一下。如果是你自己猜到原理，我倒是可以回答是或不是。」

時導遊的說話，令我內心的不快在一瞬間煙消雲散，我反而感到有點不好意思，靦腆地抓抓頭。我再偷偷瞥向其他人，只見他們知道怪錯好人，就像做了虧心事般別過臉去。

太好了！——我高興得差點脫口叫喊起來。我會這樣高興，並不是因為時導遊讚賞我，而是我聽到他的回覆，看到他對時間旅行充滿信心的態度，我可以肯定，時間旅行是真的，儘管原理不明，也不知道為何已有這種技術在世而無人知曉。稍後我去見識過時間旅行後，回來就可以向阿琛證明我的決定沒錯，也能跟她和兩毫子分享這趟旅程的見聞。

在我的提問後，場內的發問氣氛一下子冷卻下來，再沒有下一道問題，問答環節就此完結。時導遊於是開始說時間旅行的安排：「接下來我們要公布第一程旅程的出發安排和目的地。正如我早前說過，時間旅行共分為三程，第一程時間旅行算是試玩一下，旅程很短，前往五年後的世界，只需六小時。」

原來時間旅行只是六小時這麼短？但從另一方面想，這樣短的話很方便，即使出發當日要上課，我也只需逃幾節課就可以了——我本來是這樣想的，但最終我根本一節額外的課都不用逃。

時導遊緊接着宣布：「第一次時間旅行的集合詳情如下：集合地點是這艘郵輪，出發時間是十五分鐘後。」

「十五分鐘後？」

「這麼快？」

「神經病！」

台下的簡介會參加者再次起哄，為突如其來的旅程感到焦慮和不安。我起初也吃了一驚，不知所措了一會，但稍為平靜下來深思後，又覺得這樣的安排簡直是完美。我看了看手錶，十五分鐘後是下午三時正，時間旅行需時約六小時，即晚上九時完結，剛好可以回去宿舍找兩毫子和阿琛吃宵夜。雖然屆時不少商場店舖已關門，我未必買到甜品哄阿琛，但可以分享時間旅行的見聞，她應該會忘掉幾小時前的小爭執吧？

台下的躁動未有停下來的跡象，不少人向台上的時導遊叫囂和追問，但他沒有退縮或改變主意的念頭：「發問時間已經完結，我不會再回答任何問題。打算參加第一次時間旅行的朋友請留步，無意參加的可以依工作人員指示離開，謝謝。」

聽到這個回覆，場內十二名參加者中的兩人憤然站起來，一邊罵，一邊離開現場。剩餘的人當中，又有三人思考了一會後退出。

至於我當然仍坐在原位，等候參加時間旅行。雖然時導遊最後的回覆是有點不近人情，時間旅行的出發時間也的確有點倉卒，但人家之前已經說好了規矩，而且活動是免費的，我們也不能奢求太多吧？

臨近等候時間結束時，坐在我同列的男人最終決定離開。臨行前，他走近提醒我：「直覺告訴我，這件事有點古怪，但我說不出原因。我還是不去了，你自己小心。」

我直視着他，這時才認出他就是我早前對上了一眼，卻別過臉去的那個人。可能是因為那「一眼之緣」，他才會特意走過來提醒我。然而我已決意要去一探時間旅行的底蘊，遂只點點頭表示謝意。

不久，等候時間結束，剩餘在場內決定參加時間旅行的有六人。一直站在台上的時導遊看到這個畫面，滿意地說：「感謝你們六人留下來參與時間旅行。我知道對你們來說，時間旅行是有點不可思議，而且因為商業機密不能告訴你們原理，但你們仍願意相信我們，實在很感激。說起來，我們其實只有六台『時間旅行號』，如果餘下更多人，我就要說一些更不禮貌的話了。」

其實我仍不是完全相信時間旅行是真的，但無論是真是假，我都會有所見聞，亦難有損失，所以才決定留下來。

時導遊自嘲過後，續道：「大家現在可以依照台下工作人員的指示，出發參加第一次時間旅行。由於時間旅行號巨大，六台儀器分布在郵輪上的六個角落，我們將在這裏分別。祝各位旅程愉快，我們在未來再見。」

我跟隨着其中一名紅衣女職員，從該房間後方的另一個出口離開。職員帶着我沿着走廊走，一路上，我們拐了多次彎，又上落過數次樓梯，我早已完完全全地失去方向感，不知道現在身處的位置是相對於郵輪入口的哪個方向。如果發生什

麼意外而要逃走，恐怕我沒有絲毫逃出的可能。對了，莫非他們是借時間旅行，引誘並困住我們，然後……

「你不怕被騙財騙色，不可能有損失。」這時我突然想起兩毫子的冷嘲，覺得既好笑，又同時令我釋懷。是的，我之前不是已經想過，除非他們是打算把我抓走作人口販賣或摘取器官，否則根本不會有損失嗎？我到底在怕什麼？想到這點，我的心神總算是安定下來，專心地跟着女職員繼續走。

良久，我們到達相信是船底的一個房間前，那扇房門跟一般的房門不同，竟然是向外打開的。門的後面很黑，黑得什麼都看不見，這時職員拿出手電筒照向門後，我才看到那是一條漆黑的管道的一部分。管道內也就是門的正前方，放着一個大藥丸膠囊（但沒有鮮豔的顏色以及中央沒有分開的痕跡），膠囊的一邊開了一個圓洞，透過圓洞，我看到裏面只設有一張座椅，沒有其他東西，連窗都沒有。

我狐疑地問：「我就是要坐上這個東西去時間旅行？」

「對呀。」職員微笑着回應。

這到底是什麼東西啊?我想不通,於是嘗試把眼前的事物與日常生活中看過最類似的東西連結起來,我聯想到的是遊樂場內的過山車,乘客坐上只供一人乘坐的膠囊,在管道內飛快地疾駛,經歷過奪命般的俯衝和令人暈眩的連環大迴旋後,回到起點,下車,回家。

我不禁冷笑起來:「哈,原來所謂的時間旅行只是機動遊戲?」

「不是啊,真的是時間旅行。」她沒被我的嘲諷影響,充滿耐性地回應。

「去時間旅行,行程跨越時空,乘客竟然不用穿太空衣?」我質疑。

女職員眨了眨眼,似乎不懂回答這道問題,但不一會,旁邊的膠囊內傳出了時導遊的聲音。他回答我道:「那些太空衣都是過時的科技,更何況我們不是要上太空,只是去時間旅行,所以什麼都不用。」

「真的嗎?」我仍半信半疑。

「放心，在簡介會時我保證過，參加者在過程中不會受傷。這個膠囊已設有各種所需的保護設施。」時導遊說。

我皺了皺眉，躊躇地踏前一步，靠近膠囊的洞口之際，洞口突然沿着膠囊的圓周變大並變闊。雖然變大後仍只有不足一米高，但這已經是極限，畢竟那膠囊就只有約一米高。

我鑽進膠囊，戰戰兢兢地坐在那座椅上。那是一把沒有椅腳，呈一百二十度角的座地椅。我對這種椅本不抱期望，它卻意想不到地舒適。椅子的軟墊配合着我的體形，緊貼着我的身軀，完美地承托着我的身軀的同時，又不會有悶熱之感。相比起來，大學演講廳那些座椅雖然符合人體工學，卻是悶熱得很，我每次在演講廳睡醒時總是冒着一身大汗。呃，我想得太遠了。

我望向門外的女職員點點頭，她看到我的表情，滿意地說：「祝閣下時間旅行愉快，再見。」

話畢，她把房間的門關上，膠囊的洞口也應聲收縮至完全閉合。就在那一瞬間，我掉進了伸手不見五指的漆黑之中。

還好，完全無光的黑暗狀態只維持了半秒，膠囊內就亮起了柔和的燈光。雖然只有我獨自坐在這膠囊內，但緊張和不安的情緒竟隨着燈光的出現而徐徐退去。那光芒彷彿給人安心的感覺，我甚至把之前曾擔心這膠囊會否出軌一事也拋諸腦後。

在沒有第三者的騷擾下，我細心觀察着膠囊的內部，發現製作膠囊的材料似曾相識，後來終於想起這是跟郵輪船身的物料一樣——那亮黑色的不明材料。

我本想伸手去感受一下那材料的觸感，但擔心膠囊會隨時啟動，這裏又沒有扶手或安全帶，如果我伸手去摸時跌一跤就麻煩了。

咦？此刻我才驚覺一件可怕的事：這裏並沒有安全帶。

怎麼會沒有安全帶？

一般交通工具都設有安全帶，乘坐過山車的話乘客更會被安全裝置完全固定在座位上，以避免在高速移動時發生意外或碰撞。除非時間旅行號不會移動，否則怎會沒任何安全裝置？

在我質疑為何沒有安全裝置之際，我竟留意到另一件怪事——膠囊中的燈光變得愈來愈黃。

不，我細心一點看，發現並不是燈光變黃，而是膠囊中空氣的顏色變黃。膠囊的兩側，正緩緩噴出黃色的氣體。

黃色的氣體？是氯氣！

氯氣是黃綠色有毒的氣體，吸入氯氣者，輕則灼傷咽喉和呼吸道，重則死亡。

我馬上雙手掩着口鼻，以防吸入毒氣。在同一時間，我終於想通了時間旅行的真正目的和意思：是讓參加者提前死亡，加速完結人生。於是，他們把參加者引誘進這毒氣室，活活毒死！也正因如此，膠囊內才沒有任何安全裝置。

6

我不想死，我只不過是個大學生，很多事情還未嘗試過，跟阿琛交往三個多月仍未「啪啪啪」過，我實在捨不得就這樣撒手人寰。我嚇得扯破喉嚨大喊救命，同時用力錘着膠囊剛才露出洞口的位置。儘管我知道我如此激動，只會令自己呼吸變得急促，死得更快，但我實在不得不為自己的生命用力掙扎一下。

「時間旅行號即將出發，」冷不防間，膠囊傳出廣播：「請乘客在啟程和到埗期間，安坐在椅子上，避免發生意外。重複，時間旅行號即將出發……」

我怔了一怔，屁股重重地掉到座地椅上。這到底是什麼一回事？

我呆住了好一會，才逐漸恢復冷靜，重新思考着膠囊內的一切。首先，如果剛才那黃色的氣體是氯氣的話，我不可能到現在仍不痛不癢。就算我掩着口鼻，氯氣仍會刺激眼睛，並從耳咽管進入體內。實際上，這時整個膠囊內的環境已泛着微微的橙黃色，而不是黃綠色。換句話說，那不是氯氣，這膠囊也不是毒氣室。

那麼，為什麼膠囊內沒有安全裝置呢？

這時，我感覺到膠囊微微震動起來，那種震動並不如乘坐過山車般明顯，感覺上反而較像乘坐升降機——你知道升降機正在運作，但不大會感覺到其移動。當然，熟悉物理的話就會知道，這是因為物理慣性，我們和我們身邊的空氣也跟着升降機以同一速度移動，所以我們也沒有什麼特別感覺。

看來時間旅行號正式啟動了。然而我仍有很多事想不通，於是習慣地想伸手抓抓頭，卻發現「空氣」的阻力變得相當大，有點像整個人都浸沒在水中游泳的感覺。

這令我更糊塗了，膠囊內的氣體是什麼時候變成液體呢？而且，我身處在液體中多時，那液體又注滿整個膠囊，即是說我的呼吸道和肺部早已充滿着這種液體了，但為何我仍能正常呼吸？這液體到底是什麼？我絲毫不覺得辛苦外，還有一種令人懷念的平和——這種感覺相當模糊，彷彿是發生在很遠很遠之前。

我嘗試挪動身體，卻察覺到液體比一分鐘前更加黏稠，像是身陷泥淖，感覺怪怪的。不過，既然我沒有感到任何生理上的不適，看來時導遊的安全保證是真的，我也沒必要太過擔心。

我終於暫時放下心頭大石，安坐在膠囊內，感受着膠囊的微微震動。說起來，我實在無法確定這膠囊到底正在怎樣移動，甚至是否真的正在移動。我們乘車時，能夠透過車窗外面景物的相對移動，或透過車外流入的鮮風風速來判斷移動速度；可是，這黑色的膠囊沒有窗，我又被古怪的液體重重包圍，毫無方法知道自己的狀態。

有一刻，我曾懷疑膠囊黑色的內側，會像香港太空館的天幕投射出什麼影像，然後說這些就是未來的影像，我們藉此一探未來後，就算是完成了時間旅行。不過，如此荒謬的事並沒有發生。

我一直在充滿着橙黃色液體的膠囊中發呆，什麼事都沒有發生。我悶極無聊，加上屁股下微微的震動，逐漸感到倦意，更在不知不覺間沉沉睡去。

7

「叮噹！時間旅行號即將到埗，請乘客安坐在椅子上，避免發生意外。重複，時間旅行號……」

我被廣播聲喚醒了，睡眼惺忪地到處張望，發現仍身處那個膠囊之中，浸沒在橙黃色的黏稠液體內。

我從褲袋掏出手機，上面顯示着的時間是同月同日的晚上九時十分。我剛才應該坐着發呆了不到半個小時就睡着了，那就是說，我竟然坐着睡了五個多小時？雖然我很常在演講廳上課時睡覺，但只要坐着睡超過一小時，清醒過來後多半會有腰背痛或綳緊的感覺；我在膠囊內睡了五個多小時，現在只覺精神爽利、筋骨舒暢，莫非時間旅行其實是一場美容或健康療程，讓參加者一洗平日的疲勞？

說起來，我的手機浸在這橙黃色的液體後仍能正常操作，不像掉進水會發生短路壞掉，就代表這液體是絕緣體。可是我卻能從中呼吸，這到底是什麼神奇的物質？

想不通的事情似乎有增無減……

我繼續在胡亂推敲着，眼前的橙黃色逐漸變淡，液體的阻力亦慢慢減弱。不久，那黃色完全消失不見，四周變回一般的空氣，膠囊的震動亦停了下來，時間旅行號似乎已到達目的地了。

我的心跳突然加速，為接下來將會發生的事感到莫名的不安。

膠囊內的燈光熄滅，在同一時間，旁邊打開了一個洞口，外邊有人以手電筒照射進來說：「第一次時間旅行已經完成，請跟着我離開郵輪，謝謝。」

我沿燈光望出去，看到的同樣是穿着紅色套裝的女職員，但她不是送我過來的那一位。

「完成？」我吃了一驚，斜視着她問：「這樣就算完成？」最令人奇怪的是，為什麼她是說時間旅行已經「完成」，而不是「完結」？而且，我距離出發至今只不過是過了六小時，並非之前所說的五年啊！

「對，請跟着我離開郵輪。」她只簡單回應，然後伸手示意我離開時間旅行號。

我繼續留在膠囊內也不見得會有新發現，只好無奈地跟着她走。

我們再次沿着走廊左拐右拐，這次我們沒回到簡介會的那個房間，而是直接到達郵輪的出口。她站在出口旁，微笑着說：「多謝參加第一次時間旅行，第二次時間旅行的詳情將另行通知，敬請期待。再次感謝你的參與，再見。」

不知道是否因為我被困在膠囊六小時而有點不快，我總覺得這個女職員比起時導遊和之前見到的職員都要呆板，令我感到有點沒趣。我不禁輕聲嘲諷：「真官腔呢……」

回到啟德郵輪碼頭，天色已黑，看來跟晚上九時多這個時間吻合，代表我確實是離開了碼頭六小時。時間旅行到底是什麼一回事？

對了，我想起我剛才看手機時，只留意了月、日、時、分，但沒留意年份，或許這裏已是五年後的世界？可惜，當我再次查

看手機，卻發現年份仍然是二〇一九年，我真的只過了六小時。所以，所謂的時間旅行果然是場騙局？但我被騙走了什麼？

我還注意到另一件怪事，就是我的手機上顯示着「沒有網絡」。不過，這也不一定是什麼怪事，我剛才到達碼頭後沒有用過手機，啟德郵輪碼頭或許由始至終都沒有網絡。說起來，這個碼頭感覺上好像比我在下午到達時更荒涼，甚至有點陰森，可說是「遊魂碼頭」……呃，現在是晚上嘛，當然比下午我到達時少人。

我似乎想得太多了。今日已經夠累了，還是早點回去宿舍，找兩毫子和阿琛吃宵夜，順便談談今日的事——我仍不能理解這場時間旅行是什麼一回事的騙局。

我去到巴士站，剛好看到回程去九龍塘的巴士，於是馬上跳上車。然而當我拍八達通卡以繳付車資時，機器竟發出尖銳而令人尷尬的聲響，畫面同時顯示着「沒有餘額」。

「怎會沒有餘額？」我不禁反問。

司機白了我一眼，輕聲揶揄我：「用光了吧？」

這當然不可能！我上一程車登車時還剩數十元，下車後就直接前往那艘郵輪，中途沒用過錢，只可能是八達通壞了。我的身上沒有硬幣，無可奈何地犧牲錢包中一張十元紙幣作車資。說起來，巴士的車資好像跟我過來時不同……算了，反正十元足夠支付有餘。

到達九龍塘站後，我馬上前往鐵路站的票務處。雖然該處站着長長的人龍，但我也不得不耐心地等候。約十分鐘後，我向票務處職員禮貌地詢問：「不好意思，我的八達通卡今日下午使用時還有數十元，但剛才使用卻說沒有餘額，可以替我看看是否有什麼問題嗎？」

職員接過我的八達通，放到讀卡處，看了看熒幕後，淡淡地回應：「你的卡是『不常用八達通』而被扣掉行政費，餘額已經扣光了。」

「不常用八達通？」我吃了一驚，不滿地說：「我在數小時前才用過啊。」

職員把卡拿起，重新放在讀卡器上，但他看到的結果似乎一樣，維持着撲克臉說：「系統紀錄的確是這樣寫。如果你不服的話，可以填寫表格上訴。」

「這……」我一時間為之語塞，不懂反應。職員卻只冷冷地呼喊「下一位」，排在我後面的大媽馬上衝上前把我擠開，差點害我跌了一跤。

「真是的！」我不快地啐了一口。

我們這些小市民，又怎可能跟大機構鬥？很可能是時間旅行號那些奇怪液體弄壞了八達通，唯今之計，我只好把剩餘的現金都拿出來當車資。

擾攘了一輪後，我總算回到大學，已經是晚上十時。我身心都累得快要支撐不了，行屍走肉般回到宿舍，卻發現房間上了鎖。

都這個時間了，兩毫子怎麼會不在房間呢？他平日這個時間都在房間內玩手機，做什麼「每日任務」——他連玩遊戲也有拖延症，總要在一日快要完結之際，才趕着完成每日任務拿獎勵。

我掏出鎖匙，把房門打開，燈亮着後，卻驚見房間內什麼都沒有，我放在桌上、書櫃上的所有東西都不翼而飛。我緊張地逐一打開衣櫃和抽屜，全都空空如也。我細心一看，發現並不只我的東西，連兩毫子那邊的東西亦一件不留，全數不知所終。

我只不過離開了半日，到底這裏發生了什麼事？被賊人洗劫嗎？

我對發生在眼前的事難以置信，一時失神，竟不小心左腳勾右腳，整個人跌坐到地上。但就是這一跌，兩毫子今日下午的一句話，忽然在我的腦海中響起——

「你上星期是社會實驗的測試對象，這個星期是電視台整人節目的作弄對象？」

哦，我明白了！這一切，包括那場所謂的時間旅行，全都是兩毫子的惡作劇。他肯定為了作弄我，於是把邀請函放到我的儲物櫃內，想藉此引開我。阿琛肯定知情，但她不好意思拆穿兩毫子的詭計，於是裝作客觀，用理性方法遊說我不要去。可是我最終還是中計，被使開了六小時，房間內的東西就被兩毫子全數搬走，嚇我一跳。

應該是這樣吧？不，一定要是這樣啊！我只是去了一趟所謂的時間旅行而已，可不想真的遇上一大堆倒楣和無法理解的事。

我強裝出微笑，對着房外的走廊大叫：「兩毫子，不玩了，我認輸，你出來吧！」

沒有人回應。

我更用力地拉起雙唇，笑得雙眼都晶瑩起來，向外高呼：「阿琛，我知錯了，對不起，我應該聽你的話。」

仍沒有人回應。

「啊哈哈！你們快出來吧！」我近乎歇斯底里地大笑，甚至開始胡言亂語起來：「我很累了，不想再玩了！夠了！」

同樣沒有人回應。

我坐在這空無一物的房間內，快要崩潰之際，眼角終於瞄到下船至今第一個我認識的人——宿舍的保安員根叔。

我高興得連忙站起來叫住了他：「根叔！」

根叔探頭進房，看到我正要跑出來，猛然向後一彈。他的臉色變得鐵青，直指着我，惶恐地口吃着問：「你……你……是人……還是鬼啊？」

「根叔，不要玩了，我當然是人……」我抓抓頭，不大明白他的反應：「噢，你也跟兩毫子串謀作弄我嗎？」

他仍驚魂未定，沒正面回應我，只重複問着相似的問題：「你……真的是人？」

我不明白他為何會這樣問，但我不解開他的疑慮，看來是無法交談下去。我嘗試努力遊說根叔：「我是人啊，你看，我有下巴的。」

老實說，作為理學院的學生，我不明白為何有下巴就是人類，但我的話顯然起了作用，根叔比之前冷靜，走近了我，側側頭盯着我的下巴後，雙目突然瞪得圓大，狀甚高興地大呼：「那即是你沒死？太好了！你沒死！」

「我當然沒死，我又怎會無端死了……」我一臉不解地斜視着他嘀咕。

沒料到，根叔接下來竟一語道破我一直理解不了的眾多疑團。他問：「但你沒死，你到底去了哪？為什麼會失蹤了五年呢？」

「什麼？」我吃驚地反問：「我失蹤了五年？」

「我知道了，你是遇上了意外，然後失憶，所以到處流浪而不懂回來。我有看電視劇的。」根叔沒頭沒腦地說。

我沒理會他的話，繼續追問：「你的意思是，這是五年後的世界？」

「什麼五年後的世界呀？你真是撞壞了腦！」他白了我一眼才續說：「是你失蹤了五年。你就是在五年前的今日失蹤，整整五年了。剛才我巡查後樓梯時聽到你的尖叫，以為你回魂，過來一看，竟然真的看到你。」

我留意到根叔手上拿着一卷報紙，馬上把它搶了過來。根叔巡查宿舍時，總愛把當日的報紙捲成短棍拿在手，說可當作武器自衛之外，萬一途中內急要去洗手間，也可以有東西看看解悶。

我把報紙攤開，頁頂寫着的日期是二〇二四年。那就是說，我真的如時導遊所說，乘時間旅行號去了五年後的世界？

雖然時間旅行這件事有點荒謬，原理到底是什麼我仍一頭霧水，但之前一些解釋不了的事倒是變得合理。例如我下船後覺得啟德郵輪碼頭比之前荒蕪，還有我的八達通卡因不常用而被扣盡餘額。

但為何我的手機顯示的時間只是六小時後……噢，對了，這是因為我的手機「沒有網絡」而無法更新時間；而沒有網絡的原因，當然是因為我五年沒交電話費，服務已被中止。

成功破解部分疑團，我的心情好轉。我看着空洞的房間，開玩笑地問：「這間房什麼都沒有，卻一塵不染，是你們等候我回來的安排嗎？」

我本以為直腸直肚的根叔會嘲諷我白痴，但他的臉上竟露出點點哀愁：「一半一半吧。」

我不知道該如何回應，只直視着他。他續道：「你女朋友和兩毫子五年前拚了命地找你，除了找大學和報警求助外，還到處派傳單、找傳媒幫忙。你失蹤的事整個校園都知道，甚至那個已經停播的電視節目《慌張西望》也有來採訪。事情鬧大了，誰敢入住這房間？於是房間一直丟空，直到最近，知情的學生大都畢業了，大學打算於下半年重新使用，早幾日才派人來清潔。」

「是嗎……」我為其他人帶來了意想不到的麻煩，有點不好意思地抓抓頭，並問：「那兩毫子和阿琛他們已經畢業了嗎？」

「當然。不過，你想見他們的話，我現在倒是可以帶你去。」根叔說。

根叔打了一通電話，我在旁邊也聽到兩毫子在話筒中激動地大叫。根叔花了一輪功夫，才成功令兩毫子冷靜下來，和他相約在大學大堂見面。然而根叔始終正在當值，我不想他背負上躲懶的罪名，畢竟我離開了短短六小時，就已經令他們困擾了五年，我實在不好意思再麻煩到更多人。

我獨自走到大堂一旁的長椅坐下等候，看着頭上「香港賽馬會大堂」的字樣，以及這個經過了五年卻好像沒有什麼分別的大堂。我細心留意經過大堂的學生，他們除了衣着、髮型

和把玩着的手機型號跟五年前的潮流有點不同外，感覺上跟五年前沒有太大分別。我真的參加了時間旅行，乘坐了六小時時間旅行號，然後來到五年後的世界嗎？總覺得整件事仍有點不真實。

我看看仍沒有網路的手機，現在已是晚上十一時。接近子夜的大學大堂，部分燈光已經關上，昏暗的環境彷彿為我的心情多添一層愁雲慘霧——我的心情本來沒有什麼，只是不知怎樣面對他們，才頓覺沉重。

對我來說，我只是離開了六小時，但對其他人來說，卻是整整五年。他們這五年來到底經歷了什麼事情、心情如何，我實在沒有頭緒。

不一會，兩個黑影佇立在我正前方的不遠處，我抬頭看清楚，發現是兩毫子和阿琛。我怔了一怔，因為他們的外貌都變得成熟了，二人的身形亦較之前瘦削，反觀我卻跟今早……跟五年前一模一樣，相同的衣着，相同的稚氣。

我想起根叔剛才說過，他們二人曾為了尋找我而奔波勞碌。我不懂應付那些難過的情緒，打算裝作什麼都沒發生過，跟他們說說所見所聞。我快步走過去，一邊走，一邊輕鬆地說：「阿琛，我……」

「啪！」但我的話還未說得下去，臉頰就吃了阿琛的巴掌。我不明所以，目瞪口呆地直視着阿琛，只見淚水已從她的雙目滾滾落下。

站在她身邊的兩毫子，拍了拍她的肩，以低沉的聲音道：「這種人不用你出手，由我來教訓他。」

我還未來得及反應，他已朝我的腹部打出一拳。猶幸我由簡介會至今都沒吃過東西，否則肯定吐滿地。

我痛得蹲在地上，久久無法動彈，只能勉強抬起頭吐出一個字：「你……」

「不打你，我們又怎能發洩這五年來的鬱悶？」兩毫子說罷別過臉去，不讓我看到他的臉，但我仍聽到他哽咽的聲音。

他們二人在這五年間一定是受夠了，才會一時不忿找我來出氣。

「對不起。」我輕聲說。除了道歉，我實在不知道還能作出什麼反應。

當晚我們三人的心情都很複雜，沒有怎樣交談。兩毫子把我接到他的大學套房住了一晚，翌日早上才送我回位於尖沙咀的家。

父母還未見到我回來，只是收到兩毫子的電話，已經哭成淚人。我回到家，兩老跟兩毫子和阿琛的反應截然不同，只抱着我痛哭，說只要我平安回來就好了。不知怎的，我更覺內疚。

9

數日後，兩毫子和阿琛的心情算是平復下來，我終於有機會跟他們二人聚頭，交換着「五年來」發生在大家身上的事。我當日不理勸告，自行前往時間旅行簡介會，兩毫子晚上見我遲遲沒有回來，打電話又聯絡不到我，就馬上通知阿琛。他們當時已估計是跟時間旅行社有關，但那張邀請函不在他們手上，他們沒有聯絡資料，也不記得集合地點，只好上網找尋，卻發現根本沒有這間公司。

在我失蹤的第三日，他們二人向大學求助，大學致電給我的父母，確認我沒有回家，就決定報警。不過，據他們所說，警方之後除了在《警訊》等渠道刊登尋人啟事外，幾乎沒有做過什麼。警方表示我有手有腳，沒有出境紀錄，那時間香港境內又沒有找到身分不明的屍體，代表我只是躲了起來的機會較大，可能只是避債或惡作劇，不久就會回來。

兩毫子和阿琛不服，肯定我不是這樣的人，於是他們就如根叔早前所說，聯同我的父母，出心出力希望尋回我。他們扭盡六壬，卻徒勞無功。

直到去年，他們二人畢業在即，心中仍記掛着我，擔心有一日我回來會找不到他們，於是決定留在科大當研究生。阿琛

本來就對科研有興趣，打算以此為終身職業，於是直接報讀博士學位；兩毫子只是為了留在大學等我回來，故只修讀碩士，打算兩年後無論是否找到我，都會離開大學，投身職場。

他們那邊的事大致上就是這樣。至於我這邊，我把我參與時間旅行的經歷鉅細靡遺地告知他們，阿琛興味盎然地聽着，尤其我說到那些未知的物質、乘搭時間旅行號的感覺時，她的雙眼彷彿閃出金光，如獲至寶般認真聆聽；相反，兩毫子卻顯得興趣缺缺，只說我平安回來了就好，已過去的事就讓它過去云云。

另外，我也有跟他們說起，時導遊答應過，如果我能推測到時間旅行的原理，他會確認答案正確與否。

我對他們說：「時導遊那時候的回應，我總覺得怪怪的。」

阿琛還是跟五年前差不多，仍愛跟我作深度討論。她聽到我的話後，托着頭，在腦海中找尋着什麼般思考了一會，才道：「時導遊給我的感覺，是要等到你自己找到答案，才肯確認答案是否正確。」

「就像老師不會直接告訴學生答案一樣？」我問。

「對，但問題是，他為什麼要這樣做？」阿琛不解地追問。

兩毫子插嘴，揶揄阿琛：「你果然是研究界的明日之星，這也要問為什麼？」

「但你不覺得奇怪嗎？時導遊大可以選擇永不告訴覓真答案，或直接道出答案，他卻偏偏選了最複雜的方法。」

「你的意思是，」我說：「他把我當成他的學生，希望我自行找出答案？」

「他的動機很難猜測，資料太少了。但無論如何，這又回到剛才的問題，他為什麼要這樣做呢？」這邊看來暫時不會有答案，阿琛於是轉換話題：「對了，當日有沒有人問他為什麼時間旅行是免費的？聽你所說，單是那場簡介會就所費不菲了，既然不是騙局，那麼他們要如何收回成本？」

「在場的其他人都只顧着流程上的事，沒有人問這類原理和邏輯的問題。我問完時間旅行的原理後，現場氣氛很尷尬，也很難再追問下去。」

「說起成本，你提過時間旅行號在那艘郵輪上，運作期間看來應該仍是在船上，不就等於佔用了郵輪五年？就算郵輪是時間旅行社擁有，也得找個地方航行或停泊，郵輪總不可能一直佔用啟德郵輪碼頭的泊位五年。」

「咦？我登船時根本不知道郵輪會離港，當日沒有帶護照啊。」

「也不一定要護照，如果郵輪只是在香港境內或公海航行，你有身分證就可以了。」

「但期間我沒出示過身分證，也沒辦出境手續。」

「這麼奇怪？不過我也不大肯定流程，畢竟我未試過乘搭郵輪。」阿琛嘆了口氣。

「結論是覓真你離開了五年，對時間旅行社和時間旅行幾乎都沒有查出什麼。」兩毫子不忘搶白我。

我說：「唯有等下一次機會吧，免費的時間旅行有三程……」

然而我的話還未說完，阿琛已一臉凝重地打斷我：「喂！你不是打算再去吧？」話畢，她直瞪着我。

我直視着她，她的眼神和表情明顯跟早幾日……跟五年前大相逕庭。儘管她看起來仍很年輕，但臉上的稚氣已大幅消減，眼神透露着比二十多歲的成年女人更沉實、成熟的感覺。看來這五年的經歷對她的影響不小。

「嘻嘻。」我沒正面回應，只傻笑了數下。

該次見面後，阿琛答應我稍後有空再想想時間旅行的原理，但千叮萬囑我不要擅自行動。

我看得出，阿琛仍很重視我，她的研究工作忙碌，又要幫助指導教授處理雜務，但仍在百忙中抽空和我詳談時間旅行的事，我實在感激不盡。

不過，我想我們的關係應該很難回到五年前了。我們之前雖然是男女朋友，但這次回來後我們已沒有再談起這段關係。在她的眼中，我只是剛滿十八歲的無知少年，她卻是二十三歲的博士生，年齡和身分都有距離。她會這麼緊張，很可能只是感到自責，覺得當日如果她沒有跟我吵架，而是心平氣和地阻止我，我就不會失蹤。

沒錯，從我的角度看來，我真是很無辜，只不過是離開半日，一段寶貴的關係就無疾而終；然而在她的角度卻是失去了我五年，五年不是短的時間，更不知道我是否能平安回來，任誰都會把感情放下吧？

事後我間中會想，如果我沒有因為好奇而參加了時間旅行，我、兩毫子和阿琛應該仍然是平凡的大學生，享受着新入學的蜜月期，輕輕鬆鬆地過着第一年的大學生活，友情和感情也會繼續平穩地發展下去。不過，這個世界沒有「如果」。事實上，他們空餘時都勞碌奔波地找尋我，二人美好的大學時光就因為我而被摧毀掉。但我會參加那場時間旅行，也只不過是為了追求真理，就跟阿琛現在修讀博士學位一樣，只是方式不同，又何錯之有？

話說回來，我雖然經歷了時間旅行，但我對時間旅行的原理卻一無所知——那艘郵輪、那條漆黑的管道、那個膠囊、製造那艘郵輪和膠囊的黑色材質、膠囊內會變色及在氣態和液態之間變動的物質等；當然，還有那個把四肢和五官都遮蓋起來的時導遊。

那天我、兩毫子和阿琛分別後，就開始各自過回自己的正常生活。雖然我們間中有聯絡，但我也不好意思經常打擾他們。而我亦按照當日討論的結論，裝作失憶，不知道這五年來發生了什麼事，同時絕口不提時間旅行的事，畢竟就算我說了，其他人也不會相信，甚至會把我當作瘋子，如果因為這樣而關進精神病院就麻煩了。他們也答應不會向任何人說起時間旅行的事。

我到達「五年後」的第二個星期，收到大學的通知，因為我的情況特殊，可重新取錄我為物理學系一年級生。我於是再次當回大學生，開始新的生活，把時間旅行的事漸漸淡忘。

新生活並不容易，畢竟我算是插班生，而且大家都從新聞、網上流言等知道我失蹤過五年，把我當成名人與怪人之間看待，因此我大部分時間都是孤獨一人。

平凡的生活一直持續着，直到三個月後，二〇二五年二月，下學期開課後不久，我的儲物櫃內再一次出現時間旅行社的邀請函。

陳覓真先生：

感謝閣下參加第一次時間旅行，希望你對旅程感到滿意。

第二次時間旅行將於二〇二五年二月二十二日（星期六）中午十二時正出發。如欲參加，請於上述時間前往啟德郵輪碼頭，登上本公司停泊在該處的郵輪（位置跟上次一樣），逾時不候。沒有依時出席者，將等同放棄參與第二及第三次時間旅行，敬請留意。

時間旅行社

邀請函跟第一次一樣，放在我的儲物櫃內。不過，事隔五年我再度入學，儲物櫃的位置自然跟五年前不同，時間旅行社仍能準確無誤地放入邀請函，他們果然是入侵了大學的資料庫嗎？

我拿着邀請函，獨個兒走到咖啡店的一角坐下，出神地思考着。撇開他們如何得知我的儲物櫃位置，到底我應否再去呢？我只不過參加了一次時間旅行，人生就變得亂糟糟，花了

幾個月才稍為回復過來，再去一次不就等於把這一切再次推倒？而且，我已經失蹤過一次，再失蹤的話，大學恐怕不會再給我機會重讀，回來時就成了失學少年。

對了，阿琛提過我不要輕舉妄動，或許我應該先找他們二人商量，但……他們肯定不會贊成我再去，這點不用商量也知道。

然而我留在這裏其實也有潛在問題——事隔三個月了，我仍感到難以融入大學生活，總覺得自己只是個過客，畢竟我沒真實經歷過這五年，法律上算我二十三歲，實際上我只活着十八年。因着這空白的五年，我不時覺得這個世界並不真實，就像正在發夢一樣，會有睡醒的一天……

對了，想到這點，我突然想通了一件事。時間旅行分為三程，而且中途可以放棄，之前我一直不明白這代表什麼，到此時此刻我終於明白其真正意義——放棄繼續旅行，就等於選擇永遠留在這個時間點。

我們平日去旅行，只是在目的地短暫停留，觀光遊歷、吃喝玩樂；旅行完結，我們就會返回自己的國家，不會留在該處。時間旅行應該也是類似的道理吧？我們經歷時間旅行，去到另一時間點，就如去旅行一樣，成為那個時間點的過客；然而如果我們選擇不繼續旅程，我們就會永遠停在該處，於那個時間點定居。

這次的邀請函正好說明了這點：沒依時出席，等同放棄參加第二及第三次時間旅行——重點是第三程，因為沒去第二程，其他旅行團團員已經去了下一個時間點，就不會再回來接走沒繼續旅程的人。剩下沒繼續行程的人，就不再是時間旅行的過客，而是正式移民到這個時間點。

那麼，我會想移民來這個五年後的世界嗎？當然不想！這本來就不是屬於我的世界，難怪我會一直覺得虛幻、不真實。只要我繼續時間旅行，我應該能帶着時間旅行的見聞，走一圈回到起點，返回真正屬於我的世界。

咦？這樣想的話，時間旅行可能是應用了封閉類時曲線的理論！那我更加要參加下一次的時間旅行了，這樣才能跟時導遊碰面，確認我的想法。

我下定決心離開這個時間點後，一直纏繞着心神的夢魘暫時消失，心境忽然變得清澈澄明，頓覺輕鬆自在。我終於弄清楚，原來這幾個月來一直束縛着我的，是這個不屬於我的時間點。

距離時間旅行的出發日期還有個多星期。儘管我不打算告訴兩毫子和阿琛我會再次參加時間旅行，我還是想跟阿琛道別，感謝她這五年來的心意，以及希望他們這次不要再花心神去找我。雖然我不屬於這個時間點，但也不想為其他人帶來麻煩，畢竟他們還要留在這裏生活。

出發前的星期五晚，阿琛終於有空，我跟阿琛約定於灣仔的一間懷舊西餐廳見面。這裏是她答應跟我交往的地方，別具意義。

我不知道阿琛是否那種會牢記相識紀念日、交往紀念日的人，因為我跟她認識不到一百天就參加了時間旅行而分別，但我相約她時，她顯然記得發生在這裏的事。可是，我萬萬想不到，我倆今日到來竟然還有另一重意義——餐廳將於下個月關門大吉，正進行結業酬賓。

「我想請問一下，餐廳結業是因為應付不了加租嗎？我看新聞說，單是近五年，這一帶的舖租已翻了一倍。」我們吃飽了，侍應送上甜品時，阿琛順道問侍應。

看起來就算未屆退休之齡，也最少五十多歲的侍應回應：「不是啊，這個舖位早年老闆已買了下來，否則不可能經營到現在。不過，老闆年紀大了，他的子女又無意繼承這盤生意，才決定結業。」

實際上，在這間西餐廳工作的人大都上了年紀，他們應該都是一直在這裏工作的老伙計。

阿琛慨嘆：「這裏有超過五十年歷史，就這樣結業真可惜呢。」

「沒辦法吧，我也終於有藉口退休了。」侍應一臉無奈地微笑，然後回去工作。

阿琛對我說：「還好我們趕得及來光顧最後一次。」

「可惜這五年來我們就只有這一次機會。」我如此回應，其實多少是想暗示我不是好人，害她苦等了五年，讓她知難而退。

但阿琛似乎不把此當作一回事，道：「不要緊，我們總有機會在其他地方建立新的回憶。」

我眨了眨眼，有點不敢相信自己的耳朵。阿琛以為我聽不明白，更直白地問：「難道你打算不要我嗎？」

「誒？」我有點吃驚地回應：「你這幾個月極少主動找我，我還以為你已經放低了這段感情。」

「如果我放低了這段感情，就不會在這五年間花心力和時間去找你啦。早幾個月我要協助教授準備參加學術會議較忙，但之後會空閒一點的了。」

「唔……但……」

「你不高興嗎？對不起。這句道歉，包括五年前跟你吵架一事，當時我沒有考慮你感受，是我不對。」阿琛不好意思地避開我的眼神說。

「我不是不高興，五年前的事我也有錯，只是……」該怎說好呢？明天我就要出發去第二次時間旅行，這次約會本來是計劃道別的……

「聽我說，」阿琛看穿了我的心意，突然抓着我的手，凝重地道：「不要去。」

「你怎知道……」我一時情急吐出了這幾個字，間接確認她沒猜錯。

「我果然沒猜錯。雖然我跟你只交往了三個月，但我已很清楚你的性格。你跟我一樣，渴望在科學上求知求真，就如你的名字『覓真』一樣。如今你發現時間旅行不是騙局，你肯定會去找出真相。你選擇在這西餐廳跟我見面，很明顯是有關於時間旅行的事想跟我說吧？」

阿琛果然是很聰明的女孩。既然她猜到了，我也不再隱瞞：「我真的打算再去時間旅行。」

「那你就忍心再次拋下我們嗎？你的父母年紀不小，他們已沒有心力再去找你。兩毫子顧及跟你的情誼，犧牲了大學的美好時光，但他早就想放棄了。如果你再次失蹤的話，他應該不會再理你，就只剩下我一人……」她說不下去，稍稍低下頭來，不讓我正面看到她。

「但我根本不屬於這個世界，不如你也忘掉我，不要再浪費時間找我了，反正你知道我是去了時間旅行，怎樣花氣力也不會找到我。」

「你在說什麼鬼話？」阿琛忍不住喝罵我：「這就是你的世界啊！」

這回我沒動怒，平靜地解釋：「我只不過是時間旅行的過客，路過這個時間點而已。」

「你為什麼會這樣想？難道你已經跟時導遊確認了時間旅行的原理？」

「又不是，只是我的猜測，我猜時間旅行社是應用了封閉類時曲線的原理，讓我們在時間線上走一圈，所以我只是路過這裏，之後會繼續前往其他時間點，然後回到起點，即五年前，那才是真正屬於我的世界。」

「不、不可能……」阿琛眉頭緊皺，搖搖頭道：「雖然我仍未掌握到時間旅行的確實原理，但絕不會是封閉類時曲線。科學除了推測，也講求證據，你沒有任何關於封閉類時曲線的證據吧？」

「但你也沒有證據，為什麼就能斷定絕不是封閉類時曲線？」

「因為……」阿琛吞吞吐吐：「那……不合理。」

「那什麼才是合理？」我追問。

「我不知道，但從邏輯學來說，你不可能證明不存在的理論不正確，所以除非你能拿出時間旅行是應用了封閉類時曲線的證明，否則我也不可能證明它是不正確。」

我不知道我和阿琛在學術上是否已有一段距離，我不大聽得懂阿琛這番話，也不知道她是否為了挽留我而胡說八道。但有一點我是肯定的，就是我心意已決，我不打算移民到這個時間點：「無論如何，這裏不屬於我，我不屬於這裏，我會去第二次時間旅行。」

「你真的是無論如何都要去嗎？你這次再失蹤的話，我……我也不會再找你了……」阿琛語末開始哽咽。

「對不起……」

「那我去找那個單車或兩毫子你也沒所謂嗎？」

「你去吧。說起來，我回來當晚，兩毫子激動得打了我一拳，我就猜到你們之間關係匪淺。」

「陳覓真，你知道自己在說什麼嗎？我和兩毫子只是朋友！」

「那他為何會願意放棄大學的美好時光，花時間陪你去找我？因為他暗戀你，願意無條件地為你付出，甚至願意為了你去找他的情敵。」

「夠了！」她氣得用力拍向桌面大吼：「你好過分！」話畢，她激動得站了起來，卻不忘大口吃了一口桌上的甜品，才頭也不回離開了餐廳，留下我一個人。

情況就跟上次差不多。

「阿琛，對不起。」我對着她已經消失了的背影輕聲說。

我知道她說要去找單車和兩毫子只是激將法，希望我嫉妒而留下來，所以我的回應才會如此傷透她的心。但可以令她死心的話，我不介意做壞蛋，不想再耽誤這個好女孩了。

這個時間點的阿琛，再見了……

11

翌日早上，我到達了啟德郵輪碼頭，準備參加第二次時間旅行。

跟上一次一樣，我登船後，身穿一身紅色套裝的女職員就引領着我，在郵輪上到處穿梭。

不過，當紅衣女停下來，把房門打開後，我卻怔住了——在我眼前的不是演講廳，而是那條漆黑的管道和那輛名為時間旅行號的膠囊。

「咦？」我訝異地問：「這次沒簡介會嗎？」

「沒有，邀請函內也寫着，誠邀大家參加第二次時間旅行，但沒說有簡介會。」紅衣女微笑着，肌肉卻不自覺地抽搐了一下，似乎是強顏歡笑的不自覺反應。我認出她就是上次我離開時間旅行號時接待我的職員，她顯然及不上簡介會和第一次登上時間旅行號時那批員工專業和友善。

「但我有問題要問啊。」

「有問題應該在上次簡介會上發問，現在沒有機會了。」她回應之時，微笑逐漸消失。

「那……」

「你還要去時間旅行嗎？」她不耐煩地指着膠囊說：「去，或者不去？」

不行！我來參加第二次時間旅行，最主要的目的是確認我對時間旅行原理的推想，如果我只是繞一個圈回到起點，就是白白浪費了這個千載難逢的機會，我決不能輕易就範！

人在危機下果然會誘發出潛在能力。我靈機一觸，想起上次我登船前，曾質疑為何去時間旅行不用穿太空衣，那名職員不懂回答，猶豫着之時，膠囊內就傳出時導遊的聲音。換句話說，時導遊能聽到我們的對話，儘管我不知道接收器到底在哪。

我於是無視紅衣女的催促，高聲道：「時導遊答應過我，如果我推測到時間旅行的原理，可以找他確認。我要找他！我猜到時間旅行的原理了。」

我認人的能力有限，本來不肯定這紅衣女在上次簡介會時是否在場，但此刻她動搖起來，顯然不知道我和時導遊有這樣的約定，又不敢即場拒絕我。

紅衣女的傲氣全消，一時間眼神閃爍，左顧右盼，好像渴望找到救兵的樣子。不一會，膠囊內果然傳出時導遊的聲音：「陳先生，你先進來時間旅行號，我會利用裏面的通訊系統跟你談話。事實上，我還未告訴你們下一站將要到達的時間點，將會一次過跟你們交代。」

「好的，謝謝。」我對着膠囊高聲說，並向紅衣女得意地笑了一下。畢竟我是獲邀參加之人，她應該不敢得罪我，只不忿地瞪了我一眼。

我和上次一樣，走進房間內的管道，透過膠囊的洞口鑽進膠囊，坐在座地椅上。不過，這次紅衣女站在門外，未有把門關上，膠囊內的燈光因而沒有開啟，內部一片漆黑，只能靠紅衣女的電筒光照明。

忽然間，我的眼前出現刺眼的強光，原來是紅衣女把電筒的光直照向我的臉上。她找到了報復的機會，時而將電筒直指向我的頭部，用強光刺痛我的眼睛；時而把電筒拿開，害我什麼都看不見。她之後又把電筒照向我的褲襠位置，故意讓我難堪。

我瞪着她，只見她的嘴巴上下晃動，做出一個挑釁的表情。我真是笨了！真的不應該得罪她，萬一時間旅行號是由她操作，即使她不會做出傷害我的事，也可能會令我不適，例如現在玩弄電筒，又或者稍後調較膠囊內的燈光、橙黃色不明物質的濃度等，整趟旅程都要受苦的話，那就麻煩了。

真是的！她是成年人，為什麼要跟我這個少年一般見識，做出這些惡作劇呢？呃，我才不是一般見識，只是有點貪玩……

我躊躇着是否要跟她道歉，以免受到皮肉之苦。不過，不用我開口，時導遊似乎已發現了她的惡作劇，出手阻止她。只見紅衣女的身子突然猛地一震，數秒後，她尷尬地側着臉，不敢正視我。她側着臉之時，我看到她原來一直戴着無線耳機。看來時導遊不只聽到，應該還能看到時間旅行號內或附近的情況，所以女職員在作弄我的事他看得一清二楚，就利用耳機教訓她。

紅衣女不再胡鬧，電筒的燈光平穩下來，照射着膠囊內部，我亦安心地坐着，等候時導遊的簡介開始。

「歡迎大家回來參加第二次時間旅行。」時導遊的聲音在膠囊的天花傳出，但音量比之前低，似乎是調較至只讓膠囊內的人聽到。

「由於時間旅行的剩餘參加者數量不多，為了節省資源，我們這次不再安排簡介會，只在此作簡單說明，請各位見諒。事實上，今日準時到來、現正坐在時間旅行號內的只剩三人。跟上次的簡介會一樣，如果大家在說明途中有疑問，請留待簡介完結後發問。」

上一次簡介會時有十二人，只有六人參加了第一次時間旅行，這次又有一半人不繼續旅程……那些人很滿意這個時間點嗎？他們不覺得失去了五年，被同輩遠遠抛離，很令人沮喪嗎？還是對成年人來說五年並不算是什麼？

時導遊進入正題：「上一次時間旅行的目的地是五年後，這次將會是二十年後的世界，社會上發生的變化絕對會比這次明顯得多。是次旅程需時約二十五小時，換句話說，你們將會留在時間旅行號一整天。不過，你們不用擔心期間要怎樣應付身體的需要。上次你們乘坐時間旅行號時，應該已留意到，啟程後你們會被橙黃色的東西包裹着，那是一種高科技維生流體，除了會在旅程中保護乘客之外，還會透過皮膚，直接提供氧氣和養分，以及吸收體內的排泄物。可是，有得必有失，維生流體會令人渴睡，從而減低吸收和消耗，但反正你們留在時間旅行號的時間很漫長，呆坐着的話可能更痛苦呢！」

說起來，我現在才察覺到上次在膠囊內六個多小時後，我完全不覺得肚餓和內急，看來時導遊所言非虛。時間旅行社真不簡單，擁有如此多的高科技。

「我要向大家說明的東西大致只有這些，你們有什麼疑問嗎？有的話請揚手示意。」時導遊這句話，表明他果然能夠看到膠囊內的情況。

11

我本打算讓其他人先發問，但或許只剩下三人，其他人都不好意思開口，又或者他們真的沒有問題，我只好率先揚一揚手。時導遊的聲音緊接着傳出：「是，陳先生。你是想說有關時間旅行的原理嗎？」

我回應：「對，我已有初步的猜想，可以請你確認一下嗎？」

「沒問題，我上次答應過你嘛。那麼，你覺得時間旅行的原理是什麼？」

「是……」我吸了一口氣來壯膽，才道出我的答案：「是封閉類時曲線。」

那一刻，時間彷彿停止了，膠囊內外一片寂靜，空氣凝定不動。我對我答案充滿自信，這應該是已知科學中最合理的解。

可是，時導遊的答案卻把我的心情一桿直打進谷底：「很可惜，不是。」

「不對？」我難以置信，連忙為自己的答案辯解：「不一定確實是封閉類時曲線，可以是提普勒柱體等同類的解。」

「完全不對，跟封閉類時曲線完全無關。我給你一點提示吧，其實在這兩次時間旅行的解說中，已藏着有關原理的重點。而且，那是現今科技已證實的理論。」

「那……」一時之間，我實在無法想到新的答案。

時導遊安撫我道：「現在想不到也不要緊，你還有下一次機會，屆時你想到的話，仍可以找我確認。另外，我相信你除了原理，也對時間旅行社的真面目，以及我們舉辦時間旅行的目的很感興趣吧？如果你猜到原理，我願意一一告訴你。」

當刻不知道是哪裏來的自信，我沒有思考太多，信心滿滿地接受挑戰：「好，一言為定！」

時導遊接着問：「還有沒有其他問題？」

稍頓一下，眾人沒有回應，時導遊就開始道出之後的安排：「第二次時間旅行將於五分鐘後開始，打算參加的人請留在時間旅行號內，不打算參加的現在可以離開。」

11

天花的擴音器傳出輕微的雜聲，似乎是另外兩位參加者發出，但原因未明，而我則安坐在膠囊內的座地椅發呆。

轉眼間，五分鐘過去，時導遊說：「感謝兩位留下來繼續參加時間旅行。我們現在出發！」

——噢，又少了一位。

出發在即，我望向門外的紅衣女職員，向她點頭微笑示好，她亦勉強作出一個微笑，並道：「祝閣下時間旅行愉快，再見。」她把門徐徐關上之際，我只希望她不要作弄我好了。

不一會，柔和的燈光亮起，膠囊亦微微震動起來，一切如常。我過慮了，她並沒有作弄我，或者她根本沒有能力這樣做。

無論如何，我的擔憂消除，而且這是我第二次乘時間旅行號，沒有上次的緊張和不安，在橙黃色的維生流體中，我很快就沉沉睡去，在睡夢中告別這個五年後的世界，短暫地忘記了自己的煩惱，也忘記了如果時間旅行的原理不是封閉類時曲線的話，將引伸出什麼可怕的後果。

12

當我睡醒之時，已經是二十四個半小時以後的事。如果沒有上次的經驗，我一定會對自己微臥在座地椅上連續睡了一整天而感到震驚。

清醒過來後，我留意到身邊的橙黃色逐漸變淡。經歷過兩次時間旅行後，我猜這流體顏色的深淺，也就是那特殊物質的濃度，控制着乘客昏睡和清醒的狀態——旅程開始時，濃度上升，四周的顏色變深，乘客就慢慢睡去；剛才四周的顏色開始變淺，我就清醒過來。可惜這東西會氣化，我身上又沒有可密封的瓶子，否則我就可以拿走給阿琛研究，說不定能助她成為頂尖的科學家。

說起來，阿琛在這二十年間到底過得怎樣呢？她還有沒有找我？是否真的會去找了單車或兩毫子當男朋友？她的學業……是事業才對，又會怎樣呢？會繼續做科研，還是轉職到其他行業呢？

從另一個角度想，二十年後，她就是四十三歲了。我實在很難想像，她看到我這個仍然是十八歲的少年，會有什麼感覺。上次我和她相比，她比我年長五歲，已經是博士生，就覺得她好像比我走得遠、有前途得多；但二十年後，從她的角度看，四十三歲的她已是「中女」，而我卻青春無限，她會感到不是味兒嗎？

其實我們二十年後互相看到對方，各自也必定有一種難以釋懷的怪異感吧？我們看來很難再好好交流了……算了，反正我只是個過客……

十數分鐘後，膠囊的震動停止，我到達了目的地。膠囊的洞口打開，迎接我的職員跟上一次又不同。也對，時導遊說過時間旅行號有限，職員照道理不會參加，除非那些職員是全職員工，否則下次再出現在我面前的機會很低，尤其這次是二十年後，即使是全職員工也很少會留在同一公司這麼久吧？

這名年輕女職員看來年紀跟我相若，但她的表情比上次那個「電筒女」更糟，完全是板着一副臭臉。怎麼搞的？時導遊不能聘請好一點的員工嗎？

「請跟我來。」她保持着那副臭臉說，如果不是有個「請」字，我真的以為前世對她做錯了什麼——說是前世無誤，因為她在我二十年前登船時應該仍是一堆蛋白質。

12

我盡量無視臭臉女，一邊走，一邊自顧自思考着下船後的事。我掏出手機看看時間，現在是下午一時多，以我的時間來看，我只是登上了這艘郵輪約一日一小時。不過，有了上次的經驗，我知道外面已經過了二十年。我仍是十八歲乳臭未乾的少年，阿琛和兩毫子卻是四十三歲的中年人。我實在對他們現在的樣子很好奇，說不定兩毫子已有脫髮的危機了，哈哈……

如果他們還肯跟我見面的話。

由於這次上船和下船的時間相距太遠，老實說，我不知道下船後要如何找到他們二人，只希望他們為了讓我找到他們而沒有改變手機號碼就好了。但或許，這個年代的人已經不用手提電話，可能有更先進的溝通方式。那我還是先回家好了，留在自己最安心的地方，觀察這個社會的變化，再思考時間旅行的原理，這個方法應該較保險。

而且，因為有過上一次八達通餘額被扣盡的經驗，這次我帶了較多的現金在身……慢着！我手上的港幣，二十年後還能用嗎？雖然一九九七年前印有英女皇的紙幣仍一直能用，但兩次時間旅行後，現在是二十五年後了，貨幣政策有否改變，外面又會變成怎樣……

「多謝參加第二次時間旅行，第三次時間旅行的詳情將另行通知，敬請期待。再次感謝你的參與，再見。」臭臉女呆滯的聲音這時傳入我的耳朵，原來在不經不覺間，我們已走到出口。

我離開郵輪後，本想繼續未完的思考，卻驚覺這裏並不是啟德郵輪碼頭。我花了點時間，才知道這是尖沙咀海運碼頭。奇怪了，郵輪為什麼會改為停泊這邊呢？啟德郵輪碼頭那邊有什麼問題嗎？此刻的我當然不知道這些答案。

不過，在尖沙咀這邊下船倒是有個好處，就是相當近我的家，身上的港幣通用與否也沒關係了，我可以直接步行回家。

離開了海港城，我沿着回家的路走着，同時細心留意四周，發現社會的變化果然很大。二十年前人們走在路上時，大都低頭把玩着手機，此情此境已不復再，取而代之，路上的人都在凌空指手劃腳，或對着空氣說話。我猜是智能裝置已進化至藏在眼鏡中，只有當事人才看到影像。

除此之外，路上的人好像比二十年前明顯更多。現在是午飯時間，照道理不是人潮的高峰，但街上的人多得摩肩接踵，加上人們手舞足蹈地使用智能裝置，更覺紛亂，人們時有碰撞。但說來奇怪，人們碰撞後卻未見有爭執，最多只會怒瞪一下，然後互相點頭道歉。人們竟在這二十年間變得如此有禮？

算了，我哪有空閒研究這麼多？我還是先回家，再想辦法聯絡阿琛和兩毫子。在第三次時間旅行出發前想出時間旅行的原理，才是此刻我必須做的正經事。

我到達所住大廈的入口，跟隨另一名住客的步伐穿過了大閘，乘升降機回到家門前，察覺到我家的鐵閘更換了。這本來沒什麼特別，畢竟事隔二十年，可能是其間損壞了而要更換。鐵閘換了，我身上的鎖匙自然不管用，只好按門鈴。可是，當大門打開後，我卻吃了一驚，因為出來應門的是個我不認識的男人。

「什麼事？」那身穿白色背心的壯年男子，粗聲粗氣地問。

家裏冒出陌生人，我有點不知所措，口吃着問：「咦？你……你是誰？」

「這個問題應該是我問你！」屋內的男子怒喝：「你是誰？為什麼亂按我家的門鈴？」

「我……」當刻我的第一個想法，是我走錯了樓層，這不是不可能發生。我於是退後一步，再看一次門牌，卻發現沒有錯，這裏的確是我的家，那我就有道理了，為什麼要怕他？我吸了一口氣，挺起胸膛回應：「我沒有亂按，這是我的家。」

「你有病！我是業主，這是我的家。」

「不是，我的父母才是業主。」我突然想到另一個可能性，緊接着追問：「噢，是陳先生或陳太租了給你嗎？」

「誰是陳先生陳太呀？我就是這裏的業主，真金白銀買下來的。」

這時候，另一名壯年女子從廚房走出來，搭着那男子的肩道：「老公，不要這麼凶，被扣減社會信用評分就麻煩了。換我來吧。」

那男子退後了一步，改為由女子跟我交談。

「你好……咦？」她開口不久，就發現我有點面善：「你是陳覓真先生嗎？」

「呃，對呀，你認識我嗎？」但我對這個女人毫無印象。

「你等一下。」她暫停對話，獨自走進房間。她的丈夫站在一旁，看來也不清楚發生了什麼事，但他的臉色已變得稍為平和，不再惡形惡相。

「陳先生，」數分鐘後，女子回來道：「其實我不認識你，也不知道這是什麼一回事。不過，這個人給我看過你的相片，還放低了她的卡片，說如果我看到你，就把卡片轉交給你，請你去找她，就會明白事情的始末。」

女子透過鐵閘的縫隙遞上卡片，我接過來一看，發現是阿琛的卡片，上面寫着——

程蝶琛

香港大學物理學系副教授

13

我收到卡片後，決定直接前往香港大學，中途卻花了點功夫才到達。到達時，阿琛不在辦公室，我透過物理學系的職員口中得知，她正在上課，我於是到該課室的門外等候。

同日四時，她下課離開課室，我終於看到她。當刻我當然是怔住了，她以往很「男仔頭」的感覺全消，身穿恤衫西褲，看來專業而且穩重，更散發着一股成熟女士的韻味。她亦保養得很好，如果不是因為我知道她的實際年齡，應該會以為她只是剛滿三十歲、新入職的講師。

她事前應該收到部門的通知，所以看到我未有顯得很驚訝，反而怒氣沖沖地朝我快步走來。她走着之時，左手拿着教材，右手緊握拳頭；我倆距離只剩下兩個身位之時，她更舉起右手，作向後拉弓狀。我回想起三個月前，即這個世界的二十年前，我倆重逢的一幕。她顯然想再一次掌摑我來洩忿，我不敢躲開，亦自問的確虧欠了她，只好瞇起雙眼，默默忍受這巴掌。

不過，數秒過後，我的臉頰沒有傳出痛楚，倒是耳朵接收到她的聲音：「如果我在這裏打你，明天就會上報紙，說我當眾體罰學生了。」

我睜開眼睛，看到她那氣憤難平的樣子，忍不住挖苦她：「程教授，對不起。」

「我是認真的，你還有心情開玩笑……」她重重地嘆了一口氣後說：「你知道這二十年來發生什麼事嗎？」

「我也想問你。」我回復正經問：「我回到家中，發現內裏住着一對陌生夫妻，男的更說他是業主。這到底是什麼一回事？」

她又嘆了一口氣：「這件事說來話長，也不大方便在這裏說。」

她從銀包找出一張卡片，續說：「這是我朋友經營的餐廳，你去到說是我介紹來，今晚我倆有重要事情想秘密地談，他就會安排貴賓房給我們。你沒事做的話，可以先去等我，我現在有點事要辦，五時還有一節課要上，之後就馬上過去。」

「好。」

13

我接過卡片的一刻，以為她指的朋友是兩毫子，但那只是一間餐廳的卡片。不過，誠然如她所說，這裏不方便交談，畢竟她現在是大學教授，要顧及顏面，我也沒多問其他事情，留待今晚再詳談。

臨行前，她又從銀包掏出一塊像晶片大小的東西給我，道：「你拿着這個吧。」

「這是什麼？」

「就像以前的八達通卡。現在大家都幾乎不會使用現金，你沒這東西的話連出入都會很不方便。你剛才乘車過來時，應該遇上了不少麻煩吧？」

「嗯。我花了點功夫，才能用身上的現金支付車資。」

「有了這東西，你就可以直接乘坐任何公共交通工具，車資會直接算到我的戶口內。」

「那你呢？」

「我在辦公室另有後備，就像信用卡的主卡和附屬卡，你不用擔心我。不過，不要拿這東西去亂購物啊，副教授的薪金並不是很多。」她打趣地說。在這個人的身上，我總算還看到阿琛爽朗的影子。

「我才不會亂花女人的錢，程教授。」我也不甘示弱地回了她一句。

「哈哈，那待會見。」她笑着說。

阿琛回去工作後，我留在香港大學內亦沒有什麼意思。我想起現在無法使用手機看地圖，為免迷路而找不着那間餐廳，我決定提早過去，順道在那邊休息一下，畢竟我在中午下船後就一直到處奔波。

還好，這間餐廳鄰近銅鑼灣鐵路站，我不費吹灰之力就找到了。我到達之時是下午五時多，介乎下午茶和晚飯時段之間，餐廳內的職員大都「落場」休息中，店內關了燈，但門並沒有鎖上。

13

我舉頭看着餐廳的招牌「仁智義信」，不禁怔了一怔。它是想「食字」，取「仁至義盡」的諧音嗎？但照道理不會有人用負面詞語來作餐廳名字。抑或是阿琛想借這間餐廳的名字來表明心意，暗示對我已仁至義盡？不過，我憶起阿琛臨別前的微笑，她又不像是這麼決絕。算了，我也無謂胡亂猜測太多，稍後她來到，自然就有答案。

我輕輕地推開門，只見一人坐在收銀機後，原來他就是老闆。我跟他表明身分和來意後，他就如阿琛所說，為我安排了貴賓房。說起來，老闆有點面善，莫非是我以前認識的人？不，如果是我認識的人，他年紀大了、臉相轉變而令我認不出他，他也不可能認不出我，因為我還是十八歲時的樣子啊……或者只是人有相似吧……

我坐在貴賓房內，透過落地玻璃，看着街外景色，觀察着這個二十年後的世界。早前我剛下郵輪，對外面世界的變化感到震驚，但現在再細心觀察，除了手機被取代了，人們由低頭滑手機變成揮舞雙手操作隱形智能裝置外，人們的活動方式跟二十年前並沒有很大分別。今日我來往幾個地點，都是靠雙腳走路或乘搭公共鐵路。沒有飛行車，沒有氣墊鞋，沒有生化人，當然也不可能在短短二十年間發明出量子遙傳機、瞬間轉送裝置等。雖然這間餐廳部分應用了機械人來送餐，馬路上的部分汽車變成無人駕駛，但這些都不是什麼創新的技術，我去第一次時間旅行前已經出現了，只是未被廣泛應用。

老實說，我是有點失望，二十五年後的未來世界，並未如科幻小說或電影所述的多姿多采。我沒有機會見識到超高科技的東西，不久之後就要回程了，所以無論如何，都要推想出時間旅行的原理，把握最後機會向時導遊確認，才能不枉此行。

不過，單靠我自己的力量有限，我想着想着，就坐了個多小時，阿琛在六時半左右到達。

「說起來，我們聚會，要找兩毫子一起來嗎？」我問。

剛坐下來的她搖了搖頭：「我和義豪已經沒有聯絡，最近一次見面應該是三年前，在一個物理學術研討會上。」

她改了以義豪來稱呼兩毫子，他們之間肯定發生了什麼。不過，這可能涉及她的私事，我有點不好意思，含糊地問：「你們之間……發生了什麼事嗎？」

與我的尷尬相反，爽直的阿琛卻毫不諱言：「我和他在你再次離開後，交往了幾個月。可是，我們面對着對方時，總有種複雜的感覺。對於我來說，他曾是你的好兄弟；對於他來說，我曾是你的女朋友。這種關係，令我們很難好好面對對方，毫無保留地發展下去，於是我們幾個月後就和平分手。畢業後大家各有各忙，也沒有聯絡了。」

「噢，真可惜。」我其實是鬆了一口氣。阿琛剛才的話之中還有個有趣之處，我於是追問：「你說在三年前的學術研討會碰到他，換句話說，他最近仍從事科研？他不是對研究沒興趣，當日當研究生只是陪你等我嗎？」

「哈，這件事說起來就令人氣憤。」她說着之時倒是好像很高興的樣子：「你第二次離開時，我們當了研究生約一年，他當時本來是打算碩士畢業後就投身職場。沒料到，他在研究方面很有天分，也善於找到研究的突破點，深受指導教授的厚愛和重用。半年後，在他碩士畢業前，他的指導教授邀請他轉為博士生。我們以為你第二次的時間旅行也是五年，他於是覺得轉做博士生也不錯，你再回來時他就當了六年博士生，應該差不多畢業，決定再等你一次。結果你沒有在五年後回來，他就決定不理你，畢業後到英國當博士後研究員，後來更在該地覓得教席，就定居於英國。」

話畢，她轉身從手袋拿出一份文件，貌似很激動地說：「義豪那個賤人現在威風了，你看看在這篇論文中，他的職銜是什麼？」

我接過論文，看到兩毫子的頭銜是「Chair Professor」，這當然令我有點意想不到，然而我對阿琛的話更在意。她剛才說她跟兩毫子分手後沒怎樣聯絡，這時又脫口以「賤人」稱呼他，但說着之時，她卻笑意盈盈。在我看來，這是打情罵俏之話。不過，我並沒有妒忌，或許這是基於昔日的情誼而已。就像她現在和我聚頭，儘管她已是成熟又事業有成的女強人，我們還是和昔日沒有兩樣地促膝暢談。

「反而是我的研究有點阻滯，」阿琛收起論文，續說：「最後花了七年時間才畢業，猶幸之後還算發展順利。我回來香港工作其實只有兩年多。」

「那為什麼你會把卡片留給我家中的陌生人？他們又是誰？」

「這個話題有點複雜，我怕我說了之後你沒心情吃飯。不如我們先點菜，吃飽了之後再說。」阿琛露出苦澀的表情說。

「也好，我其實已經很肚餓了。」

我們於是先一邊吃飯，一邊不着邊際地談着其他趣事和見聞，當中包括這二十年間發生在阿琛身上的事，還有我在時間旅行期間的遭遇、時導遊的新提示等。過程中，阿琛就像那些路人一樣指手劃腳、凌空使用智能裝置，把我提出的重點記錄下來。她說她在這幾年已有些想法，回去會計算一下，稍後再告知我答案。這當然令我興奮不已，因為封閉類時曲線的推測被時導遊否決後，我已茫無頭緒，這次看來要靠阿琛在物理學的專業，才能破解時間旅行的秘密。

晚上八時多，頭盤、主菜我們都一一吃過了，老闆親自送上了甜品和飲品，我們也是時候談那件會令我沒心情吃飯的事。

「上一次跟你吃飯，我在飯局尾令你傷心。好了，現在你可以一報二十年前的仇，到你說令我難過的事了。」我說笑，想讓阿琛不要太緊張，儘管我仍未知道到底發了什麼事。

然而這並不奏效，整晚歡笑談天的氣氛如電光飛逝，阿琛凝重地直視着我：「覓真，對不起，我和義豪也沒想過事情會演變成這樣，我們不是想報復才……」阿琛喉嚨一哽，說不出剩下的字句。

我安慰她：「我說笑而已。我去時間旅行已經對你們造成很大困擾，而且我的人不在，所以無論發生了什麼，都不是你們的錯。」

阿琛為了平復心情，吃了一口桌上的甜品，休息了半晌，又吃了一口，才終於冷靜下來。她開始從頭說起我家中那兩個陌生人的由來：「義豪畢業後離開了香港，我在翌年畢業後，也去了澳洲當博士後研究生和工作。由於我的家人居於香港，所以每年暑假我都會請假回來一至兩星期。不過，在十年前的夏天，那次回港我卻逗留得特別久，後來連身在英國的義豪也趕回來了，因為……」

「因為……我們要辦你父母的喪事。」

阿琛的話如一把漆黑的鐮刀高速劃過我的頭顱，我突然眼前一黑，腦袋也在那一瞬間停止運作。她的話固然令我震驚和傷痛，但真正令我的精神與肉體剝離的原因，卻是那種強烈的不真實感——它再次出現了。我離開了一日，難以面對的事情再次襲來；比起傷痛，我更加是不懂得反應，欲哭無淚。

阿琛看到我彷彿被美杜莎石化了，馬上蹲到我身旁，用力抓着我的手，高聲呼喊我的名字。是她那雙手把久違了的溫暖傳到我的心坎中，激昂的聲音喝止了死神奪走我的靈魂，我的魂魄才稍為歸位。

我剛回過神來，仍未完全恢復，呆呆滯滯地吐出短句：「我……沒事，你……繼續說吧。」

「我們不如先休息一下？」阿琛狀甚憂心地建議。

「不用了，我始終要……面對現實。」我緩緩地說，心底裏卻不是這樣想。此刻的我仍覺得自己是個過客，只不過是在聽聽發生在時間洪流內的故事而已……或許這樣想我會好過一點。

阿琛留意我臉上的血色的確稍為恢復，猶豫了一會，最終勉強聽從我的意願，回到座位上，再一次道歉：「對不起……」

「你說說到底發生了什麼事吧。」

「事情是這樣的：你二十年前再次失蹤，我和兩毫子這次知道你是去了時間旅行，花再多的氣力也不會找到你，所以沒有理會。但你的父母得知我們沒有意欲去找你，他們就自己偷偷行動，找了幾年，二人心力交瘁，身體和精神都變差。你父親後來有一次在街上看到一個背影跟你相似的人，拚命追上去，其間太過忘形，遇上交通意外而半身不遂。伯母之後一邊照顧他，一邊繼續找你，積勞成疾病倒了，後來不治而亡。世伯同時失去了妻和子，活不下去，自殺身亡。我和兩毫子畢業後一直在外國工作，間中回來探望他們，他們也沒說什麼，我們是後來才從鄰居口中得悉這一切。我們不可能告訴他們時間旅行的事，又未能及時阻止這場悲劇，對不起。」

我安慰阿琛:「不關你們的事,如果一定要怪罪的話,怎樣看也是我這個做兒子的沒有留在這裏好好孝順他們。那之後呢?」

其實說到這裏,我已猜到家中的陌生人是什麼一回事了,不,那裏已經不是我的家了……阿琛解釋:「你應該知道,你的父母除了你,已沒有其他親屬在世,他們又未有立下遺囑,當時你又已失蹤超過七年,法庭於是裁定你在法律上死亡,你父母的遺產即成為無主財物,最後撥歸政府庫房。理論上,你現在回來了,可以申請撤銷死亡宣告,但那兩個人是經合法途徑買入你舊居的單位,我不知道會怎樣安排。」

「那已經不重要了。」我無奈地說,反正就算追回來,不久我又會去第三次時間旅行。我反而追問:「但他們為何有你的卡片?」

「你第一次去時間旅行去了五年,第二次在五年後卻沒有回來,我們於是推測,你之後回來的話,最有可能是在五的倍數的年份,而你回來之後,應該會先回家。我於是每到五的倍數的年份前,就去準備一下。你的父母是在第十年之後才過身;在第十五年前我去了一次,那時住有另一家人;到早一個月我再去，就是現在這對夫婦，當時只有妻子在家，我就向她交代一切。」

「原來如此……」想不到我上次臨別前叫阿琛忘掉我，她卻仍對我念念不忘，事事替我着想，我除了感到心頭一暖，更覺得對不起她。我不好意思地說：「阿琛，我實在不值得你再花時間去為我做這麼多事。」

「我才沒有為你花很多時間，反正我間中會回香港，而且只是五年去一次而已。」她別過臉去，臉泛微紅，然後突然轉換話題：「對了，我有東西給你。」

她從手袋中拿出了一個小盒子道：「這是最新款的智能手錶。現在最流行的智能裝置有兩種，一是智能眼鏡，二是智能手錶。智能手錶其實較少人用，因為它會把全息影像投影到空中，其他人會看到，私隱度較低，但較適合像你這類不用戴眼鏡的人。你應該會留在這裏一段時間吧？沒智能裝置很難生存，就當我慶祝你回來送給你的禮物。裏面已有電話卡，這個年代的數據是任用的，你放心隨便玩隨便試，我想你應該很快就會上手。」

「謝謝……所以我最後還是用了你的錢。」

「對啊，我要讓你一世虧欠我，呵呵。」她笑說。

我尷尬得連忙岔開話題：「話說這店的老闆，也就是你的朋友，我覺得他很面善，是我之前認識的人嗎？」

「噢，」阿琛好像有點吃驚，又突然露出恍然大悟的樣子回應：「不，你之前應該未見過他，他是義豪的弟弟禮豪。義豪的父母跟隨義豪移民到英國，唯獨弟弟決定繼續留在香港發展。」

我想起這間餐廳名為「仁智義信」，連同弟弟禮豪名字中的禮，重新排序後，就是儒家所說的五常「仁義禮智信」，真有意思。不過，我早前進來和去洗手間時留意到，這店的裝潢相當寬敞，也意味着能夠同時招呼的顧客相對少。他又為我們安排貴賓房，我們兩個人吃了不是太多東西，卻坐足一整晚。我不禁為他憂心：「這裏的生意……」

「哦，我知道你想說什麼，你不用擔心，因為義豪早幾年買了這舖位給弟弟，禮豪才能在這個高速的城市中，經營這間如此有格調的慢活餐廳。」

「什麼？這是銅鑼灣鐵路站旁的地舖啊！」我驚訝得下巴快要掉到地上：「義豪怎會這麼有錢？他正職是教授，兼職是打劫銀行嗎？還是現在香港的土地已經這麼便宜？」

「當然不是。」阿琛吃吃地笑：「義豪他在物理界很有名氣啊，更有不少改變世界的發明，有一些公開給大眾使用，有些則註冊了專利，靠着那些權利金，他就能買下這裏，還做了不少善事。說不定他會是下一個如愛恩斯坦、霍金般知名的物理學家呢！」

我仍瞪大眼睛，不大相信阿琛的話。當年玩世不恭的兩毫子，現在竟然成了世界知名的科學家？她應該是開玩笑吧？

當晚的聚會完結後，阿琛表示她肯定我會參加第三次時間旅行，建議我無謂花錢花時間找地方住，不如到她的大學套房暫居。她現在仍單身，獨居於大學教職員套房，內有多個房間，有些只是放雜物或當書房，可空出來讓我暫住。她重申這樣的建議只是為了方便我，吩咐我不要想歪，她對「小朋友」沒有興趣，我也打趣回應說對「姨姨」沒興趣，結果小腿捱了一記天殘腳，差點報廢。

另外，她跟上次一樣，答應會回去再研究一下時間旅行的事。她說她已經推測到時間旅行的原理，只是想再計算清楚，比對一下現今的最新科技發展，以及找找有沒有相關的文獻支持。

老實說，我跟阿琛只交往了三個月，事隔二十五年，她仍對我如此體貼，我實在不知如何報答她。最令我擔心的是，我再次出發去時間旅行的話，會否對她造成傷害。

15

約一星期後的晚上，我準備好晚飯待她回來吃——做家務算是現時我唯一可以為她代勞的事。晚飯後，我清洗好碗筷，回到客廳時，看到她把電腦和少量文件放到桌上。她說：「時間旅行的原理我已經知道了，你有時間來聽聽嗎？」

我看到她說話時一臉凝重，那似乎並不簡單。我坐到她的旁邊問：「是壞消息嗎？」

「不，有一個好消息和一個壞消息。」她沒有讓我選擇先聽哪一個的打算，直接說：「好消息是，我不單推測到時間旅行的原理，而且相當肯定那是正確的。以現今科技來說，這是最有可能做到時間旅行的方法，不，我要澄清，是以現今已驗證的科學理論來說，這是最合理的方法。」

這句話雖然有點複雜，但我畢竟曾是理科生，很快就理解到其背後意思：「你的意思是，即使是事隔二十五年，現今科技仍不可能做出這種時間旅行？」

「對，而且是完全不接近，無論是時間旅行號本身，或只是其材質，又或是那橙黃色的維生流體。」

「但我確切經歷了時間旅行，由二十五年前的世界，分兩次旅程來到這個時間點。這又是什麼一回事？」

「這一點我其實也有點想法，但就純屬推測，稍後會順道告訴你。」

「好，那壞消息呢？」

「壞消息嘛……你聽完我說時間旅行的原理，就會知道問題有多嚴重。」阿琛無奈地說。

「好吧，那你即管開始解釋吧。」我輕鬆地說，因為此刻的我仍未感受到問題的嚴重性。

阿琛翻開筆記，直入正題道：「時間旅行的原理其實很簡單，亦如時導遊所說，時間旅行的解說中已藏着該原理的重點，而且那是現今科技已證實的理論。」

她稍頓一下，吸了一口氣，道出那項原理的名字：「時間旅行的原理，就是狹義相對論中的時間膨脹。」

「時間膨脹？我有點印象看過這理論，但不大記得詳情。」

「為免誤會，我還是簡單說明一下吧。」阿琛開始從頭解釋：「相對論是關於時空和重力的理論，主要由愛因斯坦等人創立。在相對論中，時間和空間各自都不是絕對，它又分為狹義相對論和廣義相對論，主要的分別在於是否涉及重力。我們這次的問題跟重力無關，可以集中以狹義相對論來看。而時間膨脹就是由狹義相對論推導出來的結果，它指出相對於一個慣性座標系，另一個移動中的慣性座標系的時間會流逝得比較慢。簡單一點說，就是高速移動中的東西的時間過得比靜止的東西慢。由於時間膨脹是由光速恆定推導出來，所以這種『高速』須到達光速的十分之一以上，效應才會明顯，所以我們在日常生活中不易察覺得到。」

相對論的基本原理我懂，所以我才知道我們日常使用的GPS應用了相對論來修正誤差，只是沒想到這竟然會跟我以及時間旅行有關。我花了點時間消化，已大致猜到阿琛的意思，問：「你的意思是，時間旅行的原理，是利用狹義相對論中的時間膨脹，令時間旅行號內乘客的時間變慢，從而達到前往未來世界的效果？」

「對。你說過在時間旅行號內的維生流體，除了提供養分和吸收排泄物外，在旅程中還會變得黏稠，我猜它同時肩負着保護乘客的責任，避免乘客在時間旅行號加速至近光速時受傷。不過那東西到底是什麼，如何做到這麼神奇的效果，我是完全沒有頭緒。」

「近光速？」我聽到不得了的字眼，吃了一驚：「那膠囊有移動得那麼快嗎？」

「有，肯定很快，而且快得不能用現今科技來理解。剛才說過，時間膨脹效應是由光速恆定推導出來，而且愈接近光速，時間膨脹就愈明顯，也就是說時間變得愈慢。這是時間膨脹的公式。」阿琛說着這話的同時，把電腦轉過來給我看。

$$\Delta t' = \frac{\Delta t}{\sqrt{1 - v^2/c^2}}$$

Δt　根據某觀測者的時鐘的時間間隔（地球經過的時間）

$\Delta t'$　根據另一觀測者的時鐘的時間間隔（時間旅行號乘客經過的時間）

v　另一觀測者相對於某觀測者的速度（時間旅行號的速度）

c　光速

她續說：「你之前兩次參加時間旅行所需的時間（Δt’）和橫跨的年份（Δt）成正比，時導遊亦有在每次旅行前清楚交代這點，我藉此推斷出時間旅行號兩次的航行速度一樣。我把這兩組時間代入時間膨脹的公式中，推算出v等於0.99999999c，即時間旅行號以光速的百分之九十九點九九九九九九的速度航行。」

阿琛看到我一臉狐疑，就換個方式再引證這個說法：「如果倒過來把時間旅行號的速度v等於0.99999999c放進公式中，就知道你在時間旅行號內的速度變得有多慢——時間旅行號內的一秒，就等於外面世界的七千零七十一秒；時間旅行號內的一點二四小時，就等於外面世界的一年。藉此引伸下去，去五年的時間旅行需時六點二小時，去二十年的時間旅行需時二十四點八小時，這跟你實際的經歷吻合吧？」

「對……」我震驚地回應。想不到時間旅行的原理竟然這麼簡單。我坐在高速移動的時間旅行號中，外面的世界也同時急促轉動，五年、二十年就這樣過去……我不禁慨嘆：「時間旅行社是怎樣做到？」

「我就說了不知道嘛。」阿琛向我反了一下白眼:「你知道嗎?CERN……唔,即歐洲核子研究組織,他們在瑞士建立的大型強子對撞機,在你前往第一次時間旅行前,已有能力把質子加速至光速的百分之九十九點九九九九九九一,即比時間旅行號還要快每秒零點三米。不過,如果不算粒子,只以一般人造物來看,當時速度最快的是二〇一八年由NASA(美國國家航空暨太空總署)發射的派克太陽探測器,最高速度達每小時七十萬公里,但那只不過是光速的約一千五百分之一而已。這二十五年來當然有進步,但仍遠遠不接近光速。」

阿琛稍頓一下,開始解釋加速人造物的困難之處:「要把物件加速到某個速度,所需的能量與加速物的質量和速度的平方成正比,速度愈快,所需的能量就會以幾何級數增加。不過,這公式只適用於低速情況,當物件的速度接近光速,動能就會趨向無限大,因此限制了物體不可能超越光速。除了需要極大的能量外,由於推進物體高速移動一般依靠燃燒燃料,過程中會必定會產生大量的熱,而且物件在高速移動時與空氣摩擦也會產生高熱,所以引擎、人造物的外殼等都必

須耐得起極高溫，才能避免在加速期間溶解。如果加速物內有乘客的話，更要考慮如何保護乘客。這些問題，都使高速航行非常複雜。」

聽着阿琛解釋高速航行的語氣，好像說得我見鬼一樣，經歷了不可能的事，我不忿地說：「但我的確去了兩次時間旅行啊！」

「我知道，我沒說你騙我。你第一次去了五年，還有可能是躲起來，但第二次去了二十年，我已經變了中年女人，你卻仍是十八歲的模樣，歲月催人老，這是偽裝不了的。」

「那麼時間旅行社和時導遊到底……」

「我想你應該心中有數。」阿琛說到這裏望了望我。我猜她的想法跟我一致，那是唯一合理，卻又最不合理的解釋。我不是衛斯理，為什麼偏要遇上這種事？

我無奈地嘆了一口氣，阿琛就道出她的想法：「時導遊不是人類，他是外星生物，這就能解釋為何他擁有超越人類科學水平的技術和儀器。」

「難怪時導遊用衣物把整個人包裹起來，我們才不會看出其真身。」

「說起來，我還翻查過郵輪停泊紀錄，發現在你出發前往時間旅行那兩個日期，並沒有郵輪停泊在啟德郵輪碼頭的紀錄。」

「但我的確……」

阿琛怕我又誤會，連忙搶着道：「我沒質疑你。既然他們有能力做出近光速移動的機器，自然就會有其他高科技，例如利用什麼光學原理，只讓相關人士和職員才看到那艘郵輪，也不是不可能。」

那外星生物為何要來地球，讓地球人免費參與時間旅行？——我沒開口問這道問題，因為我們顯然不可能自行猜到答案。不過，我知道了時間旅行的原理，下次我就可以從時導遊口中得知他們的動機了。

為此，我再次向阿琛確認：「時間旅行的原理真的只會是時間膨脹嗎？雖然時導遊已確認不是封閉類時曲線，但蟲洞還是可行吧？」

阿琛搖了搖頭：「我剛才說過，你去兩次時間旅行，乘搭時間旅行號的時間與跨越的年份成正比，正是時間膨脹的關鍵證據。反過來說，如果他們擁有生成蟲洞來穿越時空的技術，乘搭時間與跨越的年份照道理沒有關係，不會因為要跨越長一點的時間而要乘搭更久。」

道理我算是肯定了，於是不經意地問下一個問題：「唔……那麼，時導遊要如何帶我回到起點？」

可是，阿琛卻跟我的輕鬆相反，瞪大眼睛，驚詫地望着我問：「你……你還未發現，時間旅行的原理暗示着什麼壞消息嗎？」

「暗示了什麼？」我不解地反問。阿琛提起「壞消息」一詞，我才想起在對話之初，她說過我知道時間旅行的原理後，就會知道問題有多嚴重。我於是回想着有關時間膨脹的理論和公式……

「誒！」我終於想了可怕之處，吃驚得整個人忽然失去了支撐一樣，失重般向後倒向沙發。

「對不起，讓你的幻想破滅。」阿琛猜到我已知道壞消息是什麼，才緩緩補充說明：「其實上次你臨出發去時間旅行前，你在西餐廳內說你覺得時間旅行的原理是封閉類時曲線，以及第三次時間旅行是回到起點，我就覺得不合理。我當時不是覺得封閉類時曲線不合理，而是我認為第三次時間旅行是回到起點不合理，因為這會形成一個沒有解的循環。如今知道時間旅行的原理是時間膨脹，正好避免了沒有解的循環——這種時間旅行只能讓乘客加速前往未來，卻沒有逆轉和回頭的可能。」

「什麼正好避免了沒有解的循環？一點也不好！」回到起點是一直支撐着我面對各種悲劇的動力，如今失去支撐的我再也無法壓抑體內火山的躍動，我激動地大吼：「沒有解的循環？呸！不會，我一定會回到過去！」

「你面對現實吧！」阿琛想喝醒我，並解釋：「如果你有辦法回到起點，也就是回到你未前往時間旅行前一刻的話，當時的你就已經見識過時間旅行，也知道時間旅行的原理，自然也不會為了找到答案而出發；但你沒有出發的話，就不會經歷過時間旅行和知道答案，這就成了沒有解的循環，跟著名的

『祖父悖論』一樣。要破解這種悖論的方法，就是這種事是不會發生，即你不會回到起點。事實上，當你第一次前往時間旅行，就代表你現在和未來都不會回到過去。」

我們原本心平氣和的討論，已經不可能繼續。我近乎崩潰地質問她：「為什麼？為什麼你知道我不能回到起點，知道事情會發展成這樣，卻不阻止我去時間旅行？」

「我有阻止你啊！我兩次都有嘗試勸阻你，是你不聽我說！二十年前我只是個博士生，對自己的想法不大有信心，但現在不一樣了，我不可以再讓你繼續任意妄為！」

「不，第三次一定是回到起點，我要再去！我要去問個明白！」

「你還要去？」阿琛走到我身旁，用力把我整個人拉起來，幾乎貼着我的臉說：「你到現在還不明白『免費才是最貴』的道理？所有東西都有成本，免費的東西只是把成本轉移到別處。那個外星生物顯然有什麼目的，否則怎會無緣無故帶地球人去時間旅行，還願意為你確認原理？他一定是看穿你充滿好奇心，利用這一點，讓你上釣，一直參加下去。你看，去簡介會的時候有十二人，但去第二次時間旅行的就只剩二人，

其他人感覺到事情不妙，懂得『止蝕』，你卻一直沉溺下去。如果你再去，就是我們永別之時了！」

阿琛強硬和堅決的態度不禁令我軟化，我虛怯地說：「不……不要說得這麼嚴重好嗎？聽起來很傷感。」

「但這是事實！你去時間旅行，第一次是五年，第二次是二十年，你猜第三次要去多久？如果年份成等比數列，下一次是上一次的四倍，那麼第三次就是八十年，你絕不可能再見到我；即使是屬於等差數列，每次遞增十五年，第三次就是三十五年，你回來時我已是七十八歲，到時我也未必想讓你看到我的老態，如果我還未死的話。」

「那……我應該怎辦？」我被無力感壓垮，加上剛才激動地大叫用光了能量，整個人軟叭叭的，任由阿琛抓着。

「我替你想過了。」她看到我態度軟化，把我放回沙發上，坐在我身邊，抓着我的手溫柔地說：「你不要再去什麼時間旅行，留在這裏，我可以替你撤銷死亡宣告。你取回身分後，我先安排你跟我做研究工作，之後寫推薦信推薦你回大學讀書，我想我應該做得到。」

想到我不明不白地失去了二十五年，換來的卻是為身邊所有人帶來無法逆轉的悲劇。我如此不濟，阿琛竟然仍如此關心我，甚至已為我想好後路，我不禁紅着雙眼道歉：「阿琛，對不起。如果當年我聽你的話，沒有去時間旅行，就不會變成這樣。」

「覓真，你現在還來得及重來。」她直視着我，安撫我道：「雖然我已經不是十八歲的程蝶琛，我們未必可以好像以前那樣，但我可以當你的姐姐保護你，讓你在這個二十五年後的世界重新出發。既然你已經知道了時間旅行的原理，你實在沒有必要再去時間旅行了。」

「也對。不過，時導遊的真身和目的……」

「算了吧！」阿琛打斷我道：「把時間旅行的一切都忘掉，好好地重新開始新生活。你想找尋真理，不如把精神留在科研上啦。」

「我……」我仍有點猶豫之際，手上的智能手錶突然收到訊息。正常而言，我要按鍵或以語音要求，手錶才會投影出完整訊息，但不知為何，這次我還未有任何指示，它竟然就啟動了，把訊息投射到我和阿琛面前——

陳覓真先生：

感謝閣下參加了兩次時間旅行，希望你對旅程感到滿意。

我們得悉，閣下已經猜到時間旅行的原理，按照早前的約定，我們會為你確認答案；如果答案屬實，我們還會告訴你時間旅行社的真面目，以及舉辦時間旅行的目的。但為保障本社，上述答案只會在你確認參加第三次時間旅行後才會告訴你。

第三次時間旅行將於二〇四五年三月四日（星期六）上午十時正出發。如欲參加，請於上述時間前往尖沙咀海運碼頭，登上本公司停泊在該處的郵輪，逾時不候。

你肯定想知道為什麼我們會讓你體驗免費的時間旅行吧？到時見！

時間旅行社

16

在第三次時間旅行舉辦當日上午，我準時到達了尖沙咀海運碼頭。是的，我最終還是跟阿琛訣別，選擇再次前往時間旅行。

難得有女子不嫌棄自己幼嫩，苦等了我二十五年，還替我安排好未來的路，我竟然仍一走了之，一般人一定會覺得我是個負心漢。但正因為她對我太好，我實在不知道應如何面對她。我相信我及後每次看到她，都會回憶起那些無法逆轉的悲劇，倍感不堪、不孝。我沒有面目接受她的愛，只好選擇離開她。如果第三次時間旅行是去八十年後的話就最好了，在那個年代，肯定再沒有人會認識我。

如果一切可以重來的話會有多好！可惜，現實中並沒有「如果」……

「陳先生，很高興再次見到你。」

我再次登上那艘長逾二百米的郵輪，最先出現在我面前的不是那些紅衣女職員，而是時導遊。

我盯着名為時導遊的外星生物。他一如過往，身穿一身鮮紅色的西裝，頭頂紅色禮帽，手上戴有紅色手套，臉上佩戴着太陽眼鏡和紅色口罩。除了額上少量的肉色，我幾乎看不到他任何一寸肌膚。

按照生物演化論，外星生物擁有跟人類相同外形的機會幾乎等於零，他肯定藉衣着掩飾着他的真身。現在他只露出額頭那一小部分皮膚，用顏料或仿人皮物料就可以輕易迴避問題。

至於他為何能用流利的中文跟我溝通，這就更簡單，使用翻譯軟件即可。我們這個年代的智能手錶已內藏即時傳譯的功能，還能仿真人發聲，語氣詞、情感等都可以準確表達。相反，時導遊說話總是不帶情感，即使那句話的內容含有激動的情緒，他說起來都是同一語調，看來是局限於他們的翻譯科技水平，畢竟他們要翻譯的是外星語言。

我這時看到他的出現，想起那些無法抹去的悲劇都是由這個外星生物而起，於是揶揄他來洩忿：「噢，竟然要時導遊你親自來迎接我嗎？」

16

他如我所料，不帶情感般直接回應我的問題：「我發現隨着時間的推移，要在這裏聘請到優秀的接待人員愈來愈困難，而且這次只有一名參加者，就乾脆省卻麻煩，我自己來招待你好了。你不想見到我嗎？」

「我想，我當然想。」我的怒火有增無減，一邊回應，一邊向他逼近。直到我距離他只有一個身位時，我按捺不住大喝：「我何止想見到你，我還想看到你的真面目！」

同一時間，我踏步衝向他，右手猛地向着他的頭部一抓。那一下衝刺和揮舞，我用盡全身的爆炸力，把這二十五年來我、兩毫子、阿琛，以及父母所受的苦，統統貫注其中，決意右手手指抓到的無論是他的口罩、帽子還是皮膚，都要一把撕剝下來！

時導遊受襲，反射動作地將身子微微向後仰，可惜為時已晚，照他的動作軌跡看來，他是絕對無法避開我的攻擊。然而，不知為何，我竟然撲了個空，作用力沒有得到反作用的抵消，我隨着右手用力的擺動原地轉了半個圈，差點失平衡倒地。

原本站在這個位置的時導遊竟憑空消失了！

我失神地左顧右盼，驚見他已站在原本位置約五個身位之後。他氣定神閒，手疊在胸前說：「真是嚇了我一跳。」

我不忿地斥喝：「你果然不是人類！你到底是什麼？」

「你襲擊我在先，還問我是『什麼』，人類都是這麼無禮的嗎？」他似乎已無意掩飾自己的身分，說話的內容變得單刀直入，但語氣依然是同樣的呆板。

「你以人類稱呼我，所以你果然不是人類嗎？」

「你和程蝶琛不是已經猜到了我的身分和時間旅行的原理嗎？你們沒猜錯啊！」

他確認了我們猜對，時間旅行的原理果真如阿琛所說，是狹義相對論中的時間膨脹；他也的確是外星生物。不過，我完全高興不起來，繼續斥責他：「可惡！你偷聽我們的對話！」

「陳先生，不要說是偷那麼難聽。對我們而言，你們的電子產品連入侵都不用，只要簡單的連線，它們就會告知我們想要的資料，包括大學資料庫內你的名字、儲物櫃位置等資料。」

我一時間為之語塞。既然這個外星生物擁有製造近光速移動裝置，他們極有可能已有量子電腦，這樣的話，沒有應用後量子密碼學的加密技術就如同無物，等於將資料直接放在他們眼前一樣。

時導遊看到我呆站着，主動問我：「對了，你想知道我舉辦時間旅行的目的嗎？」

我想起了我今次到來的真正目的，故暫時收起恨意，毫不諱言：「當然想！你答應過我，推測到時間旅行原理的話，就會把你們的目的順道告訴我。」

「沒問題，我的確答應過你。」

時導遊這時示意我跟着他走。我不知道他想去哪裏，但我想繼續聽故事的話，看來只得照辦。我於是勉為其難地跟隨着他，他則開始一邊走一邊說起事情的來龍去脈：「我不是地球人，我們的族類名為『時族』，為了方便在地球活動，我把族類名稱拿了來作姓氏，自稱時導遊。時間旅行社也是個虛構的組織，其實只有我一人。我的目的很簡單，人類也有做相似的事，所以你應該很易理解，就是做社會實驗。」

「社會實驗？什麼社會實驗？」我問。

「要說明這點，我要從研究的背景講起。對於時族來說，近光速移動，也就是時間旅行號所採用的技術，是非常、非常落後的技術，當中使用的湮滅引擎，雖然是早期使用的核聚變引擎的進化版，但無論怎樣進化、如何接近光速，也受制於無法超越光速的局限，快不了多少，反而會令時間膨脹的問題更嚴重。」

時導遊輕描淡寫地說出來的背景，當中已藏着大量超越現今科技的爆點。什麼湮滅引擎是落後的技術？我們人類此時此刻仍停留在開發核聚變引擎，卡在能量損耗和耐熱的問題上多時。我聽得興起，追問：「所以時族已開發出更先進的飛行技術？是能夠超越光速的曲速引擎嗎？」

「抱歉，請恕我不能回答，也跟今日的話題無關。」時導遊拉回正題道：「不過，我們倒是找到了近光速移動的新應用方法。時間是相對的，這點你都知道；你們稱為時間膨脹的現象，我們稱之為時間遺失，因為經歷那個效應的生物，就等同高速失去了時間，出現了空白期，與世界脫節。你理解到這一點吧？」

我想了想，的確在我進行時間旅行時，我的同輩都在進步，只有我原地踏步。與其說是前往未來，更像是我的時間被偷走了。不過，那跟近光速移動的新應用方法有什麼關係呢？

時導遊接下來的話，正好解釋了我的疑惑：「我們於是把時間遺失效應，應用到犯罪者身上。在我們的世界，乘坐時間旅行號是一種酷刑，專門用來對付犯下彌天大罪、十惡不赦或窮凶極惡的罪犯，把他們流放到未來的世界。危險罪犯消失了，我們也省下建立高度設防監獄的開支，可謂一舉兩得。」

我聽到如此創新的應用方法，不禁怔了一怔。這某程度上就等於死刑吧？不，又不是，他們並沒有奪去罪犯的生命，這少了一重道德問題，儘管把人流放到未來是否涉及新的道德考量我就沒有頭緒了。

我追問：「那未來的人怎辦？」

「不是人，是未來的時族。」時導遊糾正我，接着解釋：「未來的時族自然會有應付或改善這種罪犯的方法。最簡單好像剛才你想襲擊我，早十數代的時族可能束手無策，但這個時代的我身上的項鍊裝有安全晶片，感應到我有物理上的危險時，就會自動啟動，利用量子糾纏的技術，將我的身體作短距離的空間跳躍，轉移到安全的位置。如果遇上其他形式的危險，它也有其他應對的機制，所以低智能的襲擊在我們的世界已經是完全不管用了。同理，我們相信未來的時族屆時一定會有方法應付現在我們認為高度危險的罪犯。」

他又提出了令人震驚的技術！利用量子糾纏作空間跳躍，不就是量子遙傳嗎？時族的科技實在領先人類太多了。

「我明白你們如何應用近光速移動的技術，但這跟你最初說的社會實驗到底有什麼關係？」

「好問題！我們應用時間遺失來流放罪犯已有一定歷史，在不久的將來，我們就要面對有屬於過去的罪犯被流放到我們的時代。雖然我們有紀錄知道他們是什麼背景、犯過什麼罪，有信心他們無法再在這個時代作惡，但到底他們來到陌生的時代後，會有什麼反應、能否融入社會等，我們完全沒有頭緒。時族於是開始進行這方面的研究，而我舉辦的時間旅行正是這個研究的一部分，觀察一下被流放到未來的人。」

「說白一點，就是把我當成白老鼠的意思嗎？」我高聲質問，同時偷瞥了左手手腕一眼。

「做實驗就總有被犧牲的對象，你們人類不是也在做着各種生物測試和社會實驗嗎？」時導遊以一貫平板的語氣揶揄人類。

我本來已暫時減弱了的怒火，因着時導遊的話再次萌芽，而且燒得更旺盛。不過，在同一時間，我留意到我跟隨着時導遊左拐右拐、上上落落的走法，正跟之前紅衣女職員引領我前往時間旅行號的感覺相同。我已猜到他接下來想做什麼。而且，依我估計，我們已走了超過一半的路程。我必須在到達前盡我能力問出更多的答案，於是只好壓抑怒火，假裝沒事繼續問：「那為什麼要挑選人類當白老鼠？宇宙中應該還有其他生物吧？」

「宇宙中的確有很多選擇，但人類是最適合的生物，因為人類有感情、有道德價值觀，跟時族相似。人類有一定的科技水平，但又與時族有一定的距離。最重要的是，人類的壽命明顯比時族短，時族的平均壽命是人類的三百倍，換句話說，觀察人類的一生大約只花去時族三百分之一的人生，即使多研究幾批人也不會花太多時間。」

這種外星生物美其名說是在做社會實驗，實質是隨意舞弄和犧牲着別人的人生，卻絲毫沒有愧疚感和歉意，我真是愈聽愈火起。但想起來，我們人類利用白老鼠進行各種測試，為牠們注射不同的藥物，把牠們放入各種奇形怪狀的迷宮等，如果白老鼠知道自己是人類的實驗品，牠們又會有什麼感受呢？會跟我現在一樣憤怒嗎？唯一的分別是，我知道我被時族舞弄，但白老鼠不知道而已（或者只是我們不知道老鼠知道被人類舞弄）。

「照你這樣說，在我們乘坐上時間旅行號時，你一定沒有乘坐吧？那麼你不就要在外面呆等？」

「當然沒有，我為什麼要浪費自己寶貴的時間？而且，我在外邊可以做的事情多的是，例如觀察參加者的親友、安排另一批人參加時間旅行、寫寫讀讀論文等，絕不是呆等呢！」

「那麼你為什麼會邀請我？」

時導遊亦慷慨地回答：「因為時族的智能系統推算到你願意參加的機會極高。不說其他參加者，單是拿你跟你的好友比較，程蝶琛過於謹慎未必會參加，張義豪太粗枝大葉，很可能在看到邀請函前已經丟掉。你的好奇心重，而且有參加社會實驗的經驗，實在是最適合的人選。」

他說我有參加社會實驗的經驗，應該是在網上找到我成為社會實驗的那段影片。那就是說，是當日那個無聊的社會實驗間接害苦了我嗎？可惡！

我繼續問：「既然你要做社會實驗，又準備了這麼大的郵輪，為什麼不邀請更多人參加呢？」

「時間旅行號以近光速移動，需要極大的能量，要在地球不動聲息拿取這種程度的能量，很難不被發現，所以我要預先採集足夠的能量源並搬運過來，有點麻煩，必須控制用量。而且，我在第一次簡介會時都略為提過，這艘郵輪只足夠讓六輛時間旅行號運作，位置有限，我自然不能同一時間發太多邀請，萬一全部人都來怎辦？我們可不像你們的航空公司，超賣機票沒位置讓乘客上機，還能臉不紅耳不赤地拒絕乘客登機。還有，最重要的一點是，我邀請過多的人參加時間旅行，會違反《智慧管理法》。」

「誒？那是什麼？」我驚訝地問。

「噢，對，人類還未能跟外太空溝通，不知道有宇宙法例。《智慧管理法》是宇宙法例之一，當中規定擁有較先進知識和科技的生物，不得將其傳授予較落後的生物。你可能會覺得這法例很自私，但這其實是讓不同生物自行發展出屬於該生物的文明；而且貿然向其他生物灌輸知識和科技，如果他們的思想、道德和社會等根本未準備好，極有可能引起難以預計的結果，宇宙中以往就出現過不少悲劇，才會立法禁止這種行為。所以你之前問我，時族已開發出的更先進飛行技術是什麼，我不能夠告訴你，而時間旅行的原理也要靠你自己推測出來。」

「但你現在回答了我很多的問題，也提及宇宙法例，這就沒問題嗎？」我狐疑地問。

「不怕，因為我只談表面現象，相關知識和技術細節我都沒有觸及。更何況現在只有你一人聽過，即使你轉述出去，人家也只會以為你發瘋。」

時間旅行號前的門這時已在我的視線之內，時導遊看來即將要結束這場對話。不過，時間卻是剛剛好。嘿，你以為只有我一人聽過，就不怕我亂說？沒錯，如果是我這個無名小卒說出去的話當然沒用，但如果是出自國際知名教授的嘴巴，情況就不同了。

時導遊，我的報復現在才正式開始！

我後退一步拉開我和時導遊的距離，然後以語音指示智能手錶與阿琛通訊：「喂，助理，傳送錄音和錄影給阿琛。」

早在登船前，我已開啟了錄音和錄影。雖然我辜負了阿琛，但我仍希望可以為她多少做一點事，於是決定把登船後的所

見所聞，包括時間旅行的原理和目的記錄下來。上船後我已確認過智能手錶仍有通訊網絡，一路上我也有趁時導遊沒留意時偷看手錶，確認計劃順利。沒料到，時導遊提到的東西遠多於此，相信阿琛收到後這些錄音和影像後，無論是自行留作研究，還是公諸於世，都會有所得益。

時導遊聽到我的指令，馬上回頭望向我問：「你想做什麼？」

「把你說的話傳送出去，讓更多人了解時間旅行的原理和目的，以及有關時族的事。不知道這樣做，會否令你違反《智慧管理法》而被宇宙警察拘捕呢？呵呵。」我嘴角上揚，為自己的反擊感到高興。

可是，時導遊不為所動，平靜地道：「你以為我背向着你，就看不到你偷看智能手錶嗎？太天真了。」

他站在原地，伸手摘去臉上的太陽眼鏡，然而就是這一下簡單的動作，嚇得我猛然彈後兩步。在太陽眼鏡之下，時導遊露出了晶瑩、有光澤，應該是眼睛的東西。只要生物是靠可視光譜看東西，就要靠角膜及晶狀體之類的器官聚焦光線，所以眼睛大都是這個樣子。不過，那不是像人類一樣的兩顆眼球，而是一整列眼球，猶像一串被生物侵蝕了的鎖鏈。鎖鏈的鐵圈中藏着一顆顆紅色眼珠的眼球，連接着一個又一個眼球的鐵圈是藍綠色的肌肉，這眼球串一直在臉上伸延到腦後，沒入後方的頭髮內——那些頭髮說不定是假的，只是用來遮掩着那些觸目驚心的眼球。

那眼球串是我出生至今看過最詭異的東西，我沒看過地球上有生物擁有比這更可怕的器官，是以我猛地退後了兩步後餘悸猶存，身子繼續向後移，腳卻不聽使喚地停駐在原地，我整個人的重心後移，在地心吸力的拉扯下，一屁股跌坐到地上。

我不自覺地望向智能手錶，心想只要把訊息傳了給阿琛，我就算死在這怪物手下也算是有價值。然而我一看，卻發現手錶沒有反應，並未有如我的語音指示送出錄音和錄影。

「喂，助理，傳送錄音和錄影給阿琛。」我顧不得時導遊了，直接在他面前再次發出指令。手錶亮着了，卻沒有任何動作。

「喂，助理，傳送錄音和錄影給阿琛。」我重複第三次。

最終回應我的不是智能手錶，而是時導遊：「沒用的，你不用白費心機了。」

「為什麼？」我不忿地問：「你在我的手錶動了手腳嗎？」

「我沒有在你的手錶動手腳，是你自己步進了陷阱。由你登上郵輪的一刻起，船上的通訊設施就攔截了所有由你的手錶發送到電訊商的訊號，船上的通訊設施同時偽裝成電訊商，接收由你發出的訊號，然後像中繼站一樣，把訊號再轉發給電訊商；反之，船上的通訊設施亦偽裝成你，跟電訊商通訊。在你看來，船上的網絡就跟外面無異，你仍能作無間斷的通訊。不過，當你要發送這種敏感資訊出去時，船上的通訊設施就不會照辦，你就無法跟外面通訊。其實我可以讓船上的通訊設施假裝已把錄音和錄影發送出去，但我不想騙你呢！對了，這種名為『中間人攻擊』的簡單網絡技術並不是由我帶來的，在你第一次出發去時間旅行前地球已經有喔。」

16

在同一時間，時導遊把身後的門打開，藏有時間旅行號的漆黑管道出現在我眼前。他接着一步一步向我慢慢逼近，跌坐在地上的我沒空站起來，就用雙手用力前撐，想盡量遠離這隻怪物，可是他沒有停低腳步的打算。

我開始手腳併用，加快後退的速度，他卻不徐不疾地繼續步向我。

我們的距離稍稍拉開了。不一會，我的背部撞到後方的牆。我馬上站起來，打算趁拉開了距離，馬上轉彎繼續逃跑。然而我一轉身，他不知為何已站在我面前，完全擋住了我的去路。

「呀！」我驚惶地大叫：「你……你想怎樣對付我？」

「沒什麼，只是請你去時間旅行啊！你忘了邀請函寫了什麼嗎？你確認前往第三次時間旅行，我才會把真相告訴你。陳先生，你現在知道了一切，自然要去八十年後的世界。我真想看看你到達那個無人無物、完全陌生的環境後，會如何生存下去！」

他說罷繞到我背後，用手搭着我雙肩，半推着我朝房門的方向前進。同時，不知從哪裏來的第三隻手，把我外套袋內的一個空樽拿走。

「陳先生，這東西要沒收。我說過你們可以從這個世界拿走屬於你們的東西，但你用這東西來偷走我的東西就不行。」

此刻我終於明白，時導遊在簡介會上提過，在時間旅行的途中，參加者可以隨意拿走屬於我們的東西，當時他還說不會對世界有什麼影響。現在我終於明白根本沒用，因為我們只會前往未來，拿過去的東西去未來又有什麼價值呢？

我心有不忿，不想束手就擒，希望可以多少為阿琛做點什麼。但我還未有行動，時導遊已彷彿看穿了我的想法：「如果你不想承受額外的皮肉之苦，我建議你不要亂動，我可不想把你電暈。」

不久，我已在他的押解下到達時間旅行號前，他把我推上膠囊後，貓哭老鼠地說：「陳先生，這是最後一次時間旅行，我們應該不會再見，但我會在遠方繼續觀察着你。祝你旅途愉快，嘿嘿！」

這是我第一次，也是最後一次聽到時導遊的笑聲。那笑聲跟他平日生硬的語音不同，充滿着奸險和陰沉，那是他不經翻譯軟件，發自內心的笑聲。

我無力地坐在膠囊內，望着慢慢由透明轉成黃色的四周。阿琛沒說錯，果然免費才是最貴——我去時間旅行的成本，就是成為了時導遊的社會實驗犧牲品。

阿琛，對不起，我無法把真相傳送給你，永別了……

17

我被困在時間旅行號內足足四日，不知道是因為這次旅行時間太長，還是我的心中充滿着遺憾，其間我在睡夢中醒來了好幾次，這是過往從沒發生過的。

四日多後，膠囊的震動停止，我知道我已到達八十年後的世界。這回沒人為我打開房門，膠囊沒有自己打開，我只好自行靠近原洞口的位置。甫靠近，洞口就出現了，外邊的門也緊接着自己打開，原來這東西根本不用職員操作。

我步出管道，發現郵輪的走廊鋪滿了塵，可能是八十年來沒有打掃的後果。我每走一步，腳邊都揚起微型的沙塵暴；有些牆角甚至結滿了蜘蛛網，我真擔心稍後會有巨型蜘蛛或毒蛇突然從天而降。另外，我亦留意到牆上貼有不少箭頭，箭頭上寫着「出口」。時導遊真「體貼」，不安排人來迎接我，仍做足準備。

我本來不打算乖乖離開，尤其知道船上沒人，我更想把握機會，在船上到處走走，說不定能找到什麼「能量源」——時導遊說過時間旅行號採用湮滅引擎。湮滅是指一般物質與反物質互相觸碰並消滅的過程，其間會釋放出巨大的能量，是核能的千百倍或化石燃料的億兆倍。由於湮滅後沒有副產品留下，不像燃燒石化燃料會產生大量污染物，而且只要極小量的反物質就能生產異常巨大的能量，絕對是一種非常環保的能源。我不肯定八十年後的人類是否已有技術便宜又穩定地生產反物質，但既然時間旅行號使用湮滅引擎來推動，船上就一定有反物質，能夠拿下船的話應該會對人類有用。當然，大前提是我有辦法安全地攜帶反物質，否則我未成功下船就會發生湮滅，被那巨大的能量吞噬了。

可是，就在我打算無視那些箭頭亂走的時候，船內卻發出重重紅光和刺耳的警告音，廣播亦同時傳出：「本郵輪將於十分鐘後自毀，請船內所有人員盡速離開。重複，本郵輪……」

可惡！時導遊真是一點機會都不留給我！

根據過往幾次的經驗，由這裏回到出口，有紅衣女職員帶路的話需時約五至八分鐘，有一刻我曾想不如花點時間留在這裏找找再逃生，雖然有點冒險，但我活着離開，到達這個八十年後的未來世界，也不過是時導遊的實驗觀察對象。但我又想，如果我能夠問兩毫子和阿琛的意見，他們一定會希望我好好活着。我不想再辜負他們，決定順從他們一次，先行離開。

17

離開郵輪後我回到海運碼頭，現在是下午時分，碼頭卻一片昏暗，看起來已被荒廢，或許是八十年後已經沒有人再使用船隻這落後的交通工具吧？

我走進商場、街道，眼前盡是我不知道是什麼的東西。這回街上真的有類似飛行車的東西，在空中看似混亂地穿梭飛翔。行人路上的人疏疏落落，可能已沒有人願意腳踏實地走路。我的衣着也跟一般人截然不同，引來了不少路人的打量。

我站在商場外碼頭的一角，腦袋一片空白，思想一片茫然。我的家早在八十年前就被充公，阿琛和兩毫子現在也不在人世，我實在不知道應該去哪，也不知道哪裏才有我的容身之所。時導遊要研究的，就是我這時落寞、迷失的反應吧？我不想讓他得逞，但我又可以怎辦呢？

在混亂之中，我瞥見商場和碼頭旁的那間西式快餐廳。我驚嘆它還屹立在這裏之餘，突然靈光一閃，想起兩毫子弟弟禮豪的餐廳「仁智義信」。阿琛說過，那間店是兩毫子買了下來送給禮豪。雖然禮豪應該也不在人世，但那個地方或許仍在，由他的後人管理。既然我無處可去，不如去該處碰碰運氣吧。

街上異常紛亂，我實在看不懂是否有交通工具和如何乘搭，於是決定步行走回尖沙咀鐵路站。猶幸鐵路站仍在，但奇怪的是，現在乘搭列車竟然是免費，那間斂財卻經營不善的鐵路公司會這麼善心嗎？中間一定發生了什麼事，我將來有時間一定要慢慢研究。看來要在這陌生的世界生存下去，要重新學習的東西比想像中更多。

我在銅鑼灣站下車，不一會就到達了「仁智義信」原址，但到達後卻吃了一驚，因為那裏竟然變成了一間書店。我會感到驚訝，是因為在一百零五年前，已不時聽到新聞說紙本書銷量下滑，出版社和書店經營困難，不少書店倒閉或遷往租金較便宜的偏遠位置。現在，這書店竟佔據着銅鑼灣市中心的位置，內部看起來相當寬敞，而且顧客眾多，我一時間實在無法理解，更懷疑自己記錯了地方。不過，當我看到書店的招牌時，又豁然開朗，因為這間店名為「五常書店」，正好跟原餐廳的名字呼應。

我走進書店，本來正在煩惱應該要找誰和說什麼，卻被放在書店正中的書塔吸引着。那本書的封面是一個看起來有點面善的老人頭像，走近看到書名，我雙眼馬上瞪得圓大，大得眼珠也差點要掉出眼眶——《兩毫子回憶錄——著名科學家張義豪的傳奇一生》。書腰還寫着本書已翻譯成十多種語言，成為去年全球最暢銷書籍。

八十年前，阿琛說過兩毫子比她有科研天分，說不定會成為下一個愛恩斯坦或者霍金，我以為她只是謙虛或拿兩毫子來開玩笑，沒料到他真的成為著名科學家，還有暢銷傳記。

我好奇地翻閱這本書，曾有一刻奢望兩毫子還在生並親自撰寫，可惜這本傳記是由他的孫子執筆，部分於兩毫子生前完成訪問和筆錄，剩餘的則在他身故後整理和完稿。翻到目錄，本書除了記述了他的生平、著名研究成果、成功秘訣等一般名人傳記常有的環節外，在附錄中有一章特別吸引我的注意，名為「最放不下的摯友」。這一章並不長，我站在書局內細閱起來——

「那個笨蛋，我恨透了他——他搶先一步追求了我喜歡的女同學，還害我白等多年。不過，我會有今日的成就，以及愛上尋找真理的過程，都是拜他所賜。」

張義豪一生傳奇，研究出不少改變世界的驚世發明和物理理論。他在不同的場合跟大眾分享成功之道時，總是說要保持童真、對世界的一切感到好奇。但說到他的那份童真和好奇心從何而來，他總是避而不談。我窮追不捨，久不久就舊問重提，仍不得要領。直到在我的婚禮上，祖父多喝了兩杯，才脫口說了一句：「來自我的笨蛋大學同學，是他教壞我的。」可是，他沒明言那「笨蛋」的名字，也沒說出更多有關他的事。

到約二十年前，祖父當時一百零五歲，身體已大不如前。當時他得了一場大病，似乎擔心自己會一臥不起，終於向我道出他醉心於研究的真正原因：

「那笨蛋為了查明某件事的真相，無視我和另一位好友的勸告，放棄了自己的人生。我相信日後他找到答案後，必定會回到這個世界。以他的性格，很快就能適應並安定下來。然而在最初的一段時間無人無物，他到底要如何生存下去，我實在很擔心。

有一天，我想起那笨蛋在出發前，跟我拍了一張即影即有照片，上面還有我的親筆簽名。我於是想，假如我能成為舉世知名的偉人，那張照片就會變成瑰寶，他就有法子撐過最初的一段時間。雖然回想起來，我當日實在是不知天高天厚，竟自信能成為偉人，但正是因為這個願望，我才會沉醉於物理研究，發掘到自己的才能，想起來我實在很感激他。

為防不肖之徒製作假冒照片誤導大眾，我必須讓騙徒明白，那張照片是無法偽造的：照片所使用的相紙含有在四十年前已絕種的植物成分，顯影劑中的多種化學成分亦因為會污染環境已禁用六十年以上。而且，那個人的身上還極有可能藏有不少來自超過一百年前的歷史物品。他日任何人——尤其是我的後人和科學界的同業——發現這笨蛋的話，請代我好好善待他，當作報答我為這個世界帶來了各種新學問和發明。」

祖父還要求，這件事要在他過身後才能公開——可以的話，他希望自己能活着跟他重逢，並用力揍他一頓（我當時聽到這句話，比起那個人被揍，更擔心祖父會骨折）。或許是他渴望跟友人重逢的決心強大，病魔都屈服了，三個月後他重拾健康，自行步出醫院。

可惜，物理學家也有其物理極限。五年後，祖父終於再次、也是最後一次倒下來。臨終前，他千叮萬囑我要把以下這段說話記錄下來，還相信那個笨蛋一定會看到——

「對不起，我答應過某人盡力活着，但終究等不到你回來。我們二人先行一步了，在那邊等你團聚，不過還要等很久呢！」

張義豪享壽一百一十歲。

我不知道祖父說的這個「笨蛋」是否真有其人、這些經歷是否真確，也不明白一生沉醉於科學的張義豪，為何會認為一個跟他同樣生於超過一百二十年前的人會在這個時代出現（儘管現時人類平均壽命已延長至近九十，但能如他活到一百一十歲的人仍屬極少數）。但無論如何，我仍祝願祖父的願望成真，他的好友能平安回來，並跟我暢談更多有關祖父的軼事。我很期待能看到那張即影即有照片，因為我從未在書本以外看過這種已被時代淘汰的東西。

我的眼淚在不知不覺間已悄悄溢出眼眶，滑下，掉落。我連忙拿開書本，以免沾濕它。眼淚受重力牽引，不斷加速，直擊地面。那激烈飛濺的弧狀水花，把這半年來……把這一百零五年來的不真實感徹底粉碎，那種沒有根的虛幻感伴隨着水花的拋物線軌跡，散落到四周，逐漸蒸發成水氣，回歸水循環之中。

那笨蛋竟然為了我而努力成為偉人……程蝶琛，張義豪，多謝你們。我付出了免費的代價，卻同時得到它的無價。

我再沒有逃避的藉口，只得繼承着二人的遺志，再一次活着。

這就是我的世界，我今後活着的真實世界。

時導遊，我會活出你意想不到的人生，讓你的社會實驗毫無價值，失敗收場！

（不）正常的人

1

刺眼的陽光從窗簾與窗戶的縫隙之間偷偷闖進我的房間，跟陽光合謀的鬧鐘在牀頭歇斯底里地大叫大嚷，在它們的夾擊下，我只好無奈地睜開眼，迎接日復一日刻板枯燥的生活。

我本來是這樣以為。

我到洗手間梳洗和整理儀容，換上筆挺整潔的黑色西裝，吃了幾塊餅乾當早餐後，就出門準備上班去。

我會如此在意自己的儀容，並不是因為身居要職，只是工作需要——我是商場的客戶服務經理。雖然職位上有經理二字，但說穿了只比客戶服務助理（即保安）以及賓客服務專員（即接待員）高一級，當他們遇到無法應付的問題，又或者有人說要「找經理」時，我就要出動。簡單點說，所有最麻煩棘手的事情就由我去面對。但不知道是幸還是不幸，我的母親早逝，每逢有顧客問候她，我都會直言她早已駕鶴西去，稍有良知的顧客這時都會顯得有點尷尬地離開。

(不)正常的人

由於每日要接觸的人很多、要應付的奇難雜症多如恆河沙數，我已多少有點厭倦跟人接觸，平日非必要的話，我總是戴上耳機，活在自己的世界內。我離開家門後，就一直聽着音樂，拖着半夢半醒的身軀，前往巴士站候車。

我走到隊尾排隊之際，排在我前面的中年女子突然彈開了一步。

「噢，對不起。」我以為自己不小心踩到她或者走得太近，下意識地道歉。只見她這時把上半身轉過來，向我投以鄙視的目光，輕蔑地哼了一聲。

怎麼了？我身上有什麼問題嗎？我低頭稍為打量了自己一下——身上的西裝和皮鞋沒有不潔，褲鏈有穩妥地拉好。我再回想今早起床後的情況，我有梳洗刷牙，也有刮鬍子；頭髮雖然沒有恤得有型有格，但應該算是整齊。儘管我的長相自問只是一般，但照道理遠遠未到令人厭惡的程度。是以我側側頭，不解地回望她，她又是一下咂嘴。

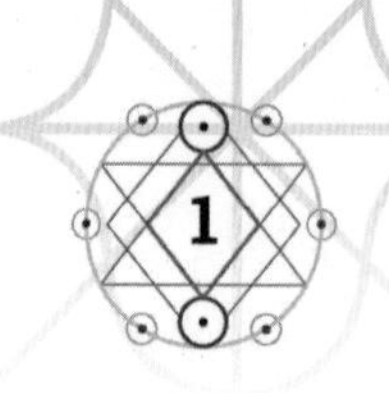

我忍不住除下耳機，問：「不好意思，我到底……」

可是，我的話還未說完，她已露出厭惡的神情說：「噫！討厭！不要跟我說話！」她說罷再向旁邊退開一步，彷彿我的身上佈滿跳蚤。

由於我始終想不通我有什麼問題，所以暫且得出一個結論：有問題的人其實是這個女人。這種情況並不罕見，我當客戶服務經理多年，不時碰到不講道理或理虧在先的人來找碴，只要確認問題不在我方，我就會保持禮貌，理直氣壯地回絕對方。

話雖如此，工作時任何人我都得應付，但在日常生活之中就沒必要跟這種人糾纏，還是避之則吉。我留意到這時已有另一人排在我的身後，決定讓出位置來避開這個中年女人。

我移後了一個位置，排在我前面的是名年輕男子，看來剛畢業不久，穿整齊的白恤衫和黑西褲，感覺上令人安心得多。

可是,我換到這個位置不久,他留意到我後,馬上吃驚地輕輕叫了一聲:「呀!」他的反應雖然不及那名中年女子對我那麼厭惡,但仍戰戰兢兢地跟我保持距離。

除了這名青年和剛才那名中年女子外,我還留意到有一兩個路過的人對我投以古怪的目光。如果只是一個人反應怪怪的,那可能是他的問題;但好幾個人都對我作出類似的反應,似乎是我的身上有什麼不對勁。

想了想,如果不是外觀問題,可能是我身上有異味。我於是把鼻湊近腋下,又彎下腰用手扇了兩下近褲檔的位置,但都沒察覺到異味。

我確認問題不在身上,可是這並未能令我釋懷,因為對我投以厭惡和鄙視目光的人似乎愈來愈多,甚至開始有人圍觀及討論。我感覺到危險的味道漸濃,正所謂「君子不立危牆之下」,在搞清楚問題之前留在這裏似乎不太妥當,只好無奈地放棄隊列,走到街角處暫避。

我站在轉角後的麵包店門前，藉着店外的玻璃反射，反覆看過自己的正面和背面數遍，再次確認我的外觀上沒有問題。我完全找不到任何異常之處，我只是正常人一個，照道理跟其他人無異，他們為什麼要這樣對我？

那我現在應該怎辦？我還要上班啊！

我站在麵包店外，仍不知如何是好之際，麵包店內一位四五十歲的中年女子這時拿着掃帚走出店外。

我間中會來這家麵包店買早餐，認得她就是店主。我於是好奇地問：「老闆娘，你拿着掃帚出來，是要清潔店外嗎？」

不過，我發問過後就開始感到不妙。她朝着我一步一步走近，面目亦逐漸變得猙獰，到只剩兩個身位之時，大喝：「對呀，要把你掃走！不要妨礙我做生意，死高佬，走開啦！」

（不）正常的人

話音剛落，麵包店店主的掃帚就從旁側掃過來，猶幸因為工作關係，我久不久就會遇到蠻不講理的顧客突然動粗，早已訓練有素，見狀馬上彈後一步避開。

我之後再拉開兩個身位，確認暫時安全後，不忿地問：「老闆娘，你做什麼？我有什麼得罪了你？」

「我最憎就是你這種高人一等的怪物！」她大喝，憤怒之情有增無減。

在短短幾兩句對答內，她先後以「死高佬」和「高人一等的怪物」來稱呼我，顯然對我的身高很不滿。沒錯，我是長得稍高，有一點八五米，但擁有這種身高的人並不罕見。想起來，就算高如姚明的人出現，也不會有人因此而激動得追打他吧？而且，不知為何，我總覺得她剛才罵我的話有點熟悉，但怎樣也想不出到底我在哪聽過。

我今日遇到的怪事可說是一浪接一浪，但我還未來得及細心思考，老闆娘已高舉掃帚，準備向我作下一波的攻擊。我再次後退一步，看到她目露凶光，沒有打退堂鼓之意，我於是轉身就跑。

(不)正常的人

「死高佬，我要打死你！」身後傳來老闆娘的叫喊聲和奔跑聲，聲音感覺上很近，我無暇回頭，只好繼續跑。

不一會，又是一聲叫喊：「有死高佬呀！快一起追！」聲音雖然感覺上已經較遠，但腳步聲卻變多了，似乎真的有人響應加入。

我自覺應拉開了一定距離，回頭一望，發現背後已有三數名人士加入追趕，當中有男有女。這個情況，不就跟之前向我投以厭惡眼光的情況差不多嗎？

莫非兩件事是同出一轍，都是因為我長得高？但我長得高跟他們有什麼關係？我又沒有得罪他們！

「前面的人截停這隻怪物！」正在追趕我的其中一名男人此時大叫，我馬上集中精神回前方，發現有兩人按照男人的指示站在我面前，大字形張開雙手，擋着我的去路。

還好他們只是呆呆的胖子，我輕易閃身避過他們。而且正因為我長得高、腿較長，我跑得較追趕着我的人快，不一會我

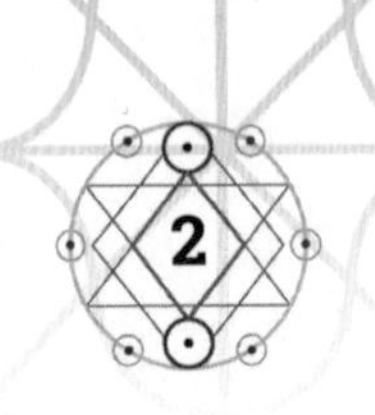

就跟那群人拉開了一點距離。但我繼續這樣跑下去也不是辦法，得找個機會擺脫他們。

就在這時，路旁的一條窄巷處有人伸出手，示意我躲進去。我已沒思考的餘力，就這樣鑽進窄巷，蹲在牆後，屏息以待。

約十秒後，那群人直跑過了窄巷，沒有留意到我。半分鐘後，我仍看不到任何危險，才暫時鬆了一口氣。

這時我終於有空去看看出手幫助我的到底是何許人也。我重新站起來，回頭望向他之際，眼睛剛好在同一水平線上跟他對上了——他是名年紀跟我相若的青年。

他輕聲說：「他們是因為你長得太高而追打你吧？」

「對！你怎知道？」我傻傻地反問他後，已馬上猜到原因：「噢，你也是受害者？」

「對。」青年接下來的回應，終於道出了一切異象的因由：「在一般人眼中，長得高於一點八米的人就是『不正常』，是異類，也是怪物。」

「什麼？」我有點不敢相信自己的耳朵，但這個說法正好跟那些路人的反應吻合。我於是問：「為什麼長得高就是怪物？」

「沒有原因，總之我們就是異於常人的小眾。」青年嘆了一口氣後，安慰我道：「但不要怕，待會你只要像我這樣半蹲着走路，一般人就不會敵視你。」話畢，青年微微屈膝，整個人的高度馬上縮減了十數厘米。

這太荒謬了吧？——我沒道出心聲，畢竟他是我的救命恩人。但我還未來得及反應，他已經以這個樣子步出窄巷，站在街道的正中。

我仍留在窄巷內，心驚膽戰地盯着暴露在陽光底下的他，只見他一直半蹲在路中心一段時間，其間有幾個路人經過，都沒對他或其怪異動作多顧一眼。

這個荒謬的方法竟然有效？我不禁呆愣了半晌，才回過神來，模仿着他的動作走出窄巷。

青年提醒我：「這個方法雖然有效，但你要記着，千萬不能在其他人面前站直身子，否則就會『破功』，之後再蹲下也不會有用。」

「好的，謝謝你。」

我和青年分別後，保持着半蹲着的姿勢，打算返回巴士站候車上班。雖然中途耽誤了路程，但我平日習慣了早一點回商場準備，現在趕回去乘車還不會遲到。我不再被其他人敵視和厭惡，心中的鬱悶一掃而空，抱着輕鬆和高興的心情重新上班去……

慢着！我為什麼要輕鬆和高興呢？我本來就是正常人一個，為什麼現在竟然要半蹲着裝矮，才能過回正常的生活？不是人人生而平等嗎？

而且，這樣半蹲着走路對腰、大腿和膝蓋的負擔都很大，我走了不到兩個街口，已經汗流浹背，快要撐不下去。我不敢重新站直身子，只好索性蹲在街頭，但這個舉動又引起了部分人厭惡的眼光——也對，畢竟蹲在街頭不是一般香港人的習慣……

(不)正常的人

我不能弄污西裝，自然不可直接坐在地下休息，只好繼續苦撐半蹲着。花了九牛二虎之力，我終於回到巴士站的隊列。我的腿和腰早已疲憊不堪，只靠意志力撐着。還好，手機程式顯示還有兩分鐘巴士就到站，我應該堅持得到。

不過，好景不常，就在這時，不知從何走出了兩名不足一米高的臭小孩，他們在行人路上嬉戲，二人拉拉扯扯，其中一人不慎撞向我的腿。那股力量本來並不算大，可是我的雙腿早已異常瘆軟，弱不禁風，是以他一撞就令我差點失平衡。我下意識地側踏一步拾回平衡，回頭正想痛罵那兩名小孩之際，我留意到隊中和身邊的人已向我投以厭惡或驚恐的目光——我在過程中為了重拾平衡而不自覺地站直了身子。

「怪物呀！」那兩個臭小孩率先開腔尖叫。

尖叫聲引來了更多人的注意。在同一時間，令人恐懼的咒罵聲從遠處傳來：「死高佬在這裏啊！」

我舉頭一望，看到的是早前追打着我的麵包店店主，但她率領着的人已由三數人增加至十多人。

好漢不吃眼前虧，我不可能以一敵十，只好拔腿就跑。然而我轉身跑了不到數步，一名正在排隊的壯年男子不識時務地把腳一伸，把我絆跌。

我整個人飛撲到地上，雙手都擦傷了流出鮮血。麵包店店主和她率領的人把握時間追上了來，把我重重包圍在馬路邊。

我舉頭一看，發現他們之中不少人都拿着武器，有掃帚、有報紙捲成的紙棍等。我自知走投無路，驚恐地問：「你……你們想怎樣？」

「死高佬！」

「怪物！」

「惡魔！」

咒罵聲此起彼落，眾人目露凶光，彷彿我是十惡不赦的大壞蛋。

（不）正常的人

我實在不明白，為何今早我起牀後，社會就變得如此荒謬，竟會把長得高的人視為怪物。我忍夠了，反正逃不過，總要盡力反擊。我放聲咆哮：「夠了！我什麼都沒做過，你們都有病！」

「有病的是你！」店主高聲罵回來：「誰叫你長得這麼高？」

雖然我曾經以長得高為傲，但某程度上只是基因使然，不是我努力過後的成果。我反駁：「我天生就長得這麼高，我也不想啊！」

「天生又怎樣？你與別不同，就是有罪！怪物！」店主身邊的一名中年男子罵回來。

「人人生而平等，你們不可以歧視我！」不知為何，當我說出「歧視」這兩個字的時候，心中突然揪緊了一下。

「歧視你就歧視你！我們還要打死你！」話音剛落，一顆小石直擊向我的額頭近眉心的位置。

一陣暈眩和痛楚瞬即貫穿我的頭顱。我想伸手去檢查傷勢，卻不知為何無法觸及額頭，手伸到額前就被看不見的東西頂住了。儘管我摸不到額頭，但我可以肯定我受傷了——鮮血已滑過我的兩眼之間，沿着鼻頭徐徐掉落。

我憤怒得幾乎用盡全身氣力大喊：「你們瘋了！怎能無端使用暴力？」

即使如此，他們仍沒有退縮之意，反而像吸血鬼般被我的鮮血吸引，顯得更加亢奮，手舞足蹈地高呼：「聲討怪物，人人有責！」

一輪叫囂過後，店主引領眾人道：「來，跟我一起打！活活打死這個死高佬！」

他們對我拳打腳踢，還用盡手上的武器不斷攻擊我，痛楚從身體的四方八面傳來。我知道這次死定了，只能雙手抱頭，高聲呼救：「救命啊！我不想死啊！」

他們毆打了我一輪後，突然有人大呼：「把他拋出馬路，讓車輾斃他！」

這個可怕的建議一出，我馬上感到有人把我保護着頭的雙手扯開。與此同時，我的視線開始搖晃起來，車輛駛近的聲音同時傳來，看來我要死了。我實在沒有勇氣去面對死前一刻的影像，於是用力緊閉雙眼，在漆黑中等待死神的降臨。

不久，我再沒有感到被人攻擊，肉體上的痛楚亦在一瞬間煙消雲散。我猜我已經得到解脫，到達了再沒有痛苦的國度了……

3

「喂！沒事了！」一把女性的聲音傳到我的耳朵。我好像聽過這把聲音，不屬於剛才襲擊我的任何一人，但我卻想不起她是誰。

「沒事了，你睜開眼吧。」那把聲音再次傳來，這次變得較柔和，好像是要安撫我的感覺。

我慢慢睜開眼，以為自己已到達死後的世界，卻發現正坐在室內一個奇怪的裝置內。

我環顧四周，留意到在房間內除了我之外還有兩個人，他們都身穿白袍，樣子看來有點嚴肅並注視着我，但看來沒有惡意。我問：「是你們救了我嗎？」

「你可說是，也可說不是，因為是我們把你放進那個世界。」二人之中較年輕的男子回應。

「把我放進那個世界？」我聽不懂這句話，不自覺地重複了一遍。

「藥力似乎太重，他什麼都記不起。」那個男子再次說着我聽不懂的話。

我愈聽愈糊塗，緊皺雙眉。看來較成熟和職級較高的壯年女子踏前一步，向我解釋事情的原委：「林先生，事情是這樣的：你早前觸犯了《歧視條例》，被法庭定罪。不過，法庭姑念你初犯，判處你接受『虛擬歧視體驗』來代替刑罰。」

「虛擬歧視體驗？」

「『虛擬歧視體驗』是平等機會委員會提倡的先導計劃，比起監禁和罰款這些阻嚇性懲罰，平機會希望透過這個計劃，令《歧視條例》的初犯者能夠深刻體會被歧視者的感受，從而改過自身，避免再次犯罪。這個體驗主要是利用虛擬實境眼罩、耳機、活動地台及神經接駁系統，配合少量精神藥物，讓參加者完全忘記原來的生活，進入虛擬世界，親身感受被歧視的慘況。模擬過程中的經歷可能比現實生活稍為誇張，但這樣才能令參加者在短時間內體會被歧視之苦，避免日後再次不平等對待他人。」

「啊！」經她一說，我終於想起事情的來龍去脈。在我工作的商場內，有一位乘坐輪椅的婆婆每日都會出現，她總是利用商場的設施前往商場連接着的地方，卻從不在商場內消費。大家本來相安無事，但有一日，我剛應付完麻煩的顧客，心情煩躁之際，她卻突然從後出現，我轉身時差點撞上她，於是大罵了一句「死殘廢，走開啦」，她受辱後迅速離開，及後兩日都沒有再出現，到第三日我才再見到她。我上次嚐到甜頭，打算重施故技，再罵同一句話，希望可以令她從此不再出現，這回卻不幸地被路人拍下和舉報。法庭最後裁定我觸犯了《殘疾歧視條例》，於是我就來了這裏接受虛擬歧視體驗。剛才在體驗中，麵包店店主罵我的那句話跟我罵婆婆的話相似，難怪我覺得似曾相識。

女子看到我已憶起一切，遂說：「因為先天、非個人選擇的差異而被視為不正常和被歧視的感覺，你現在應該親身感受到其痛苦和委屈吧？人人生而平等，我們要學會尊重和我們不同的人；對於身患殘疾的不幸人士，更應加以同情和協助。你明白了嗎？」

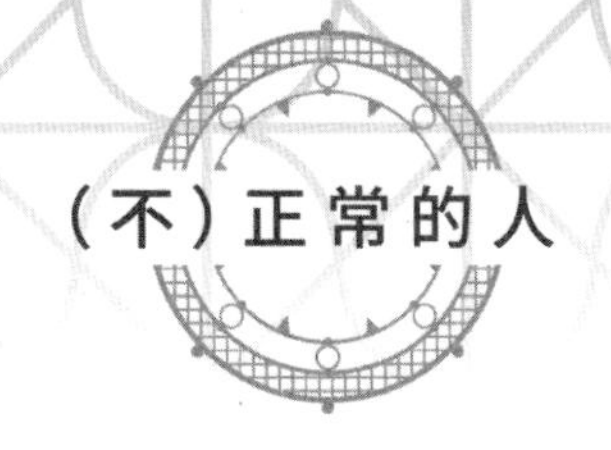

得悉剛才發生的一切都只是模擬效果，而且歧視體驗已經完結，我如釋重負，心情輕鬆，高興地回應：「原來剛才那些人歧視我長得太高是假的，太好了。」

「但如果有一天，這件事成真的話，你會有什麼感受？」女子一臉凝重地問。

「這個世界沒有『如果』，現代人都希望能夠長得高，又怎會歧視『高人』？」

「也不一定，社會的標準不時改變，也因地域而異。中國古時和現時某些國家，就認為肥胖才是健康和美麗。難保有一日，長得高會成為異類被排斥。你覺得這樣好嗎？」

「有這一日才算吧。到時我會聯同其他『高人』一起反抗。」我自信地說。

「林先生，你覺得弱勢人士真的這麼輕鬆嗎？看來你還未完全明白。根據指引，我們必須重複虛擬體驗，直到你真切明白歧視是什麼一回事。」女士失望地搖了搖頭，繼而轉身向男

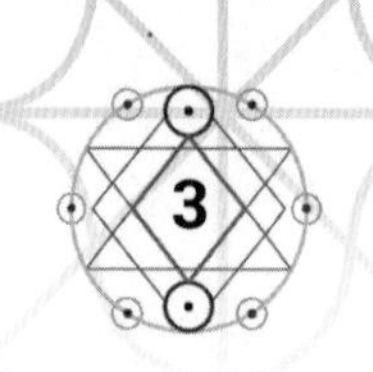

子說：「麻煩你安排一下，再來一次虛擬歧視體驗，這次設定成歧視他擁有頭髮吧。」

我瞪大眼睛，不敢相信自己的耳朵——原來不是只限進行一次虛擬歧視體驗？

男子依照指示，走向旁邊的電腦按了數下後道：「沒問題。我已把路人都設定成光頭，『歧視行為激烈程度』再調高一級，模擬效果應該更可怕。」

與此同時，兩名彪形大漢從房外走進房間，穿白袍的男子則拿起裝了不明液體的針筒，在兩名大漢的陪伴下向着我的方向邊走邊道：「但願你不會在過程中拔光自己的頭髮吧。」

「誒？不要！我不會再說『死殘廢』了，以後會說得溫和點……不……我……我知錯了，我不要再受人歧視啊！停呀！呀！」

（不）正常的人

萬有療法

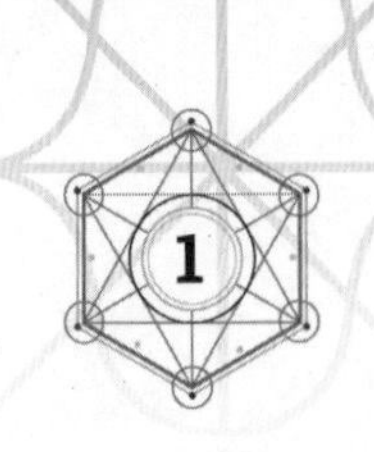

「我們今日很高興，邀請到何牛教授上來《婦女流行》，為大家講解一下最近席捲全港、大受追捧的萬有療法。何教授，到底什麼是萬有療法呢？」

「自然萬物自有永有，生生不息，世世長流。人類之所以會患病，是因為人類跟自然萬物脫節，尤其是生活在香港的都市人，太少接觸陽光，終日躲在石屎森林內，結果就罹患各種都市疾病，如癌症、情緒病等。萬有療法，就是讓人回歸自然，從自然萬物中尋回健康的療法，是防治各種都市病的最佳良方。」

「請問萬有療法跟一般的西醫有什麼分別呢？」

「西方醫學集中於研究病症的表面徵狀，有病治病，但治標不治本；萬有療法卻是有病驅病，無病防病，強身健體，延年益壽。」

「那就是跟中醫差不多？」

「中醫其實就是中國古時的萬有療法，只是名稱不同而已。中醫學以陰陽五行為基礎，重視人體的陰陽平衡，可說是萬

有療法的分支之一。但萬有療法除了促進身體健康之外，還有助使用者精神健康、改善體形、外觀和人際關係。」

「聽起來，萬有療法真的很神奇，但有沒有什麼實例可以體驗其效果呢？」

「你有沒有看過戴眼鏡的野生老虎？有沒有見過患有濕疹的野生獅子？有沒有遇過有焦慮、抑鬱的野生黑猩猩？沒有，因為野生動物跟自然萬物融合，野生動物就是使用萬有療法的最佳例證。」

「真是啊！我真的沒看過！」

我是香城大學計算機科學系的博士研究生，學系的實驗室（其實即是電腦室）正在更換電腦設備，只開放一半設施。那些電腦平日已經有大量本科生爭用，現在只剩一半，人滿之患更為嚴重。

老實說，我最怕就是人多，既擁擠又嘈吵。不知從何時開始，香港就到處都是人，連在上午繁忙時間過後、中午之前那段理應是最冷清的時間乘搭鐵路，列車都可以半滿。我完全

不能理解，到底那些人從何而來？他們不用上班的嗎？對於我來說，某套英雄電影內把宇宙中一半人口消滅的想法簡直是我的夢想。

我實在受夠了，於是這段時間索性改為留在家中工作。

工作期間，媽媽正在客廳看電視，我沒有關上房門，部分聲音傳到我的房內。這本來對我沒什麼影響，畢竟我已習慣了工作時會有其他人在附近討論其他事情。可是，我愈聽就覺得愈不對勁，節目的內容愈來愈荒謬，但最令我意想不到的是我走到客廳之時，竟看到媽媽不單看得聚精會神，還在振筆疾書，記下那個教授的說話。

想起來，我早已留意到家中最近多了很多瓶瓶罐罐，內裏都裝着莫名其妙的東西，有些較好辨認，應該是蜂蜜和某種花的花瓣，但也有些我猜不到是什麼——有黃色粗粒粉狀物、褐綠色針狀物像已枯乾的野草，還有最嚇人的是圓圓黑黑的小顆粒，我只希望那不是蟑螂糞。現在我終於知道那些都是「藥材」，媽媽顯然已經迷上了萬有療法。

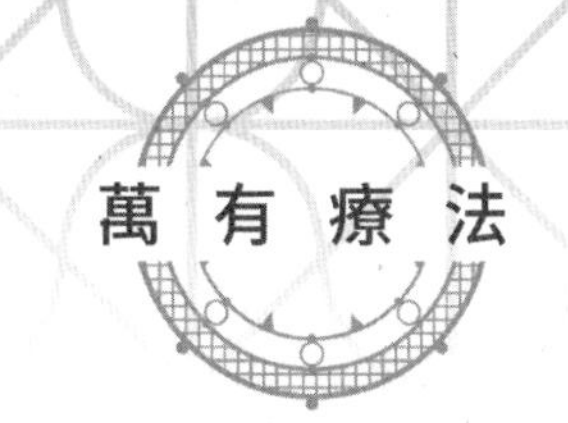

我站在媽媽身後多時，她似乎仍未察覺到我。這時電視機中的何牛開始示範使用玫瑰花粉治療水腫。熒幕的正中，顯示着一名躺在病牀上的肥胖中年女子。何牛站在她身旁說：「這名女子的大腿、小腿均受水腫困擾，接下來我將會利用萬有療法，示範以玫瑰花粉跟她按摩，消除水腫。」

鏡頭向女子的大腿對焦，畫面在一瞬間幾乎被肉色擠爆。那真是水腫嗎？我非常懷疑只是脂肪。

何牛接着解釋是次療法：「玫瑰耐寒，其花蕾濕潤有澤，早在唐朝，宮廷貴人已視之為珍寶，楊貴妃更在華清池中長年浸泡新鮮的玫瑰花蕾，以供她浸浴，潤膚養顏。在白居易的《長恨歌》中有兩句，『春寒賜浴華清池，溫泉水滑洗凝脂。』說的就是浸泡了玫瑰花蕾的溫泉水很滑，洗滌着楊貴妃凝脂般白嫩柔潤的肌膚。除了潤膚養顏，玫瑰花粉還可以理血、舒肝、降脂。」

何牛話畢，從身旁的助手手上取了一把紫紅色的玫瑰花粉，灑在女子的大腿上，然後雙手沾了些水，在她的大腿上來回按壓。看起來，這跟尋常的按摩無異。

在按摩期間，何牛繼續推銷：「我們正在使用的玫瑰花粉，並不是來自坊間一般的玫瑰花。這些萬有療法專用的花粉是取自我們特別栽培的有機玫瑰花，從土壤、肥料、灌溉用水等，都經過精心挑選。我們更只會在每年五至六月，玫瑰花盛開前採集花粉，務求減少花粉在開花後受到污染的機會，採下的花粉還要經過嚴格的消毒和殺菌。這一切繁複的步驟，都是為了令花粉最天然、最萬有。」

旁邊的節目主持人插嘴：「這種珍貴的『萬有玫瑰花粉』相當渴市，經常售罄，但廣大的觀眾有福了，我們已為大家安排好，現正在『Pig Pig Channel』有售，每克只需一百八十八元，一次過購買一百克以上還附送一包『萬有玫瑰花蕾』，用來沖泡花茶飲用，配合上花粉按摩，事半功倍。」

每克花粉一百八十八元？這就相當於珍貴中藥材的價格啊！剛才何牛按摩前灑了一把，看來有五至十克，那就是一次按摩要過千元以上！還有，何牛剛才說『繁複的步驟是為了令花粉最天然、最萬有』，什麼是『最萬有』呀？這是中文嗎？

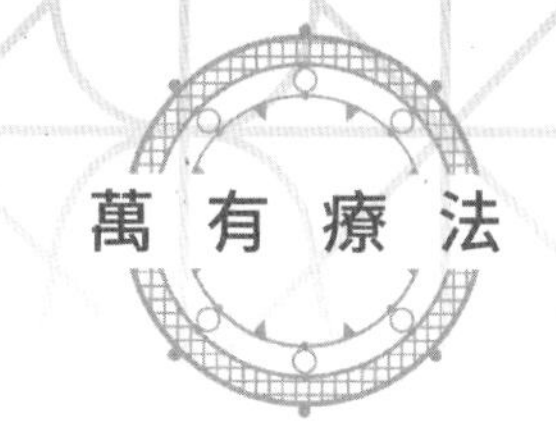

何牛按摩完畢，身旁的助手馬上為肥胖女子遞上一杯玫瑰花茶。女子喝了一口，下牀後向鏡頭走近一步，主持就緊接着道：「我們現在來看看萬有療法是否真的有效吧！」

畫面這時改為顯示兩對大腿作比對，那肉色再次佔據着整個熒幕。主持人說：「左邊是按摩前拍攝的照片，右邊是現在的實況。嘩，大腿真的瘦了三成以上啊！」

「好神奇啊！」媽媽跟電視機內的女子幾乎異口同聲地說。我差點以為她們是一伙，是以我當刻不禁吃驚得吐出一句：「不是吧？」

媽媽終於因為我的話而留意到我的存在，轉過頭來，興奮地對我說：「你看，這太神奇了吧？說起來，你經常坐着玩電腦，大腿都有點粗了，我稍後買點萬有玫瑰花粉給你試試吧。」

「媽，我說過多少次，我不是玩電腦，我是在工作。」我糾正她後，順道解釋這件事的不合理之處：「那個女人的大腿這樣比較，看起來當然瘦了，因為她剛才是躺在牀上，脂肪受壓向橫擠開，現在卻是站着，當然顯得沒那麼肥腫。」

「你們這些年輕人，就不要事事都批評。牛河教授是大學生物學系教授，著書無數，而且已經多次在電視上顯『神跡』，推廣環保，鼓勵兒童素食和不打疫苗。」

我聽到「不打疫苗」就火起，忍不住回應：「麻疹在二〇一九年初在不同國家爆發，就是因為反疫苗的禍！反疫苗者令接種過麻疹疫苗的市民比例跌至不足以產生群體免疫的效果，才會令疫情爆發。」

「牛河教授早就駁斥過這點了。」媽媽翻了一下筆記，一邊看一邊反駁：「你們總是說疫苗有效，說什麼天花被撲滅是因為人類廣泛接種疫苗，但黑死病沒有疫苗，病原體同樣已經滅絕了。」

「對呀，黑死病沒有疫苗，所以當年有二千五百萬人、相等於歐洲當時約三分之一的人口死掉了。」

「那就代表當時歐洲有三分之一的人沒採用萬有療法，如果多點人能夠理解萬有療法的好處，就能挽回那二千五百條人命。」

「是二千五百『萬』！」我實在沒好氣繼續跟她爭辯，而且正常男人都應該知道，跟女人吵架大都沒有好下場，尤其對方是負責做家務的人，萬一她一時氣憤在飯餸或衫褲鞋襪內「加料」的話就麻煩了。我這個瘋狂的母親就曾經在我的底褲內做手腳報復，害我差點不育……

我放棄了，決定離開現場。臨行前，我補充一句：「那個人叫何牛，不是牛河。」

算了，雖然那些什麼萬有療法看來未必有益，但亦不會有大害，而且世上有所謂的安慰劑效應——病人接受理應沒有效果的治療，但因他們相信治療有效，病症仍得到紓緩的現象。媽媽現在身體健康，看來沒有隱疾，不怕被萬有療法耽誤診治；爸爸的收入高，即使妻子買一堆貴價垃圾回來，仍未到會影響家庭經濟的程度。反正我又不是經常在家，實在勸阻不了多少次，本來打算置之不理。然而事隔不久，有次我周末回家時，終於被可怕的事觸動了我的神經，決意要阻止媽媽繼續相信萬有療法——我竟然看到她要吃生番茄！

我必須清楚說明，生番茄並不是指沒有加熱或煮熟的番茄，而是那些呈綠色、尚未成熟的番茄。

我才剛步進家中，看到媽媽正要把生番茄放進口中，我嚇得什麼都不顧，快步衝上前，一手把她的番茄拍掉。

綠色圓圓的番茄從媽媽的手上飛到地上，一直滾呀滾，滾到遠處充滿灰塵的牆角才停了下來。

「你發什麼瘋？不要玩食物！」媽媽不快地大喝，但我聽起來卻覺得這句話莫名地有喜感。

我解釋我的行動：「媽，生番茄含有龍葵鹼，吃了會中毒啊！」

「你又來了？牛河教授說，未成熟的綠色番茄對眼睛很好。」

我不忿地說：「你兒子我好歹是個博士生，你就不可以相信一下我嗎？那真是有毒的。」

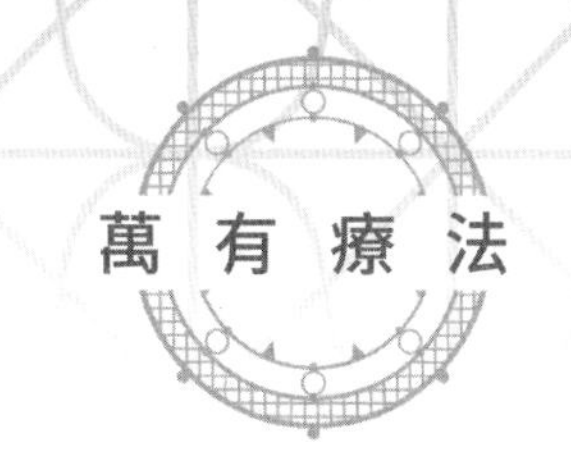

「你懂什麼？你讀電腦而已，卻連家中的機頂盒壞了也不懂修理。」

「媽，讀電腦跟修理機頂盒是兩回事……」我撇撇嘴，然後拉回正題問：「那牛河為什麼說綠色番茄對眼睛好？」在不知不覺間，我也跟着媽媽把何牛說成了牛河。

媽媽翻了翻她的小本子，不一會就找到了答案：「有花青素。」

「怎可能？」那雖然不是我的專業，但只是一般常識，我未至於不懂。我解釋：「花青素在酸性環境中偏紅，鹼性則偏藍，所以一般含花青素的植物大都呈紅色、藍色、紫色等，如車厘子、紅莓、藍莓、葡萄。青綠色的番茄不會含有花青素吧？一定是搞錯了什麼。」

「不，牛河教授不會搞錯的。他曾經在節目中道破了不少坊間謬誤，例如吃車厘子能補血是錯的，因為車厘子含有的鐵質其實相當低。」

「咦？」我吃了一驚，因為那的確是事實——以我所知，成年女性要吃數公斤的車厘子，才足夠一天的鐵質需求。

媽媽接下來還說了好幾個牛河教授破解過的謬誤或偽科學產品，如P環測試法、珍珠電解水、健康道館聖章等。當刻我對這個牛河……何牛的舉措感到奇怪，一方面他在推銷偽科學萬有療法，但另一方面又在揭穿其他謬誤或偽科學，他的目的到底是什麼？

我會如此在意的另一個原因，是何牛教授正是香城大學的教授之一。自己就讀的大學內竟有如斯怪人，總有點不是味兒。

想了想，我決定親身去問一問何牛為何要教人吃生番茄。我在大學內聯網搜尋，發現何牛星期一早上九時有一節基礎遺傳學的通識課程，於是決定到時去找他對質。

星期一早上，我睡眼惺忪地到達演講廳。即使我在星期日晚已回到大學套房，但要在一太清早起來上課，還是覺得有點痛苦。

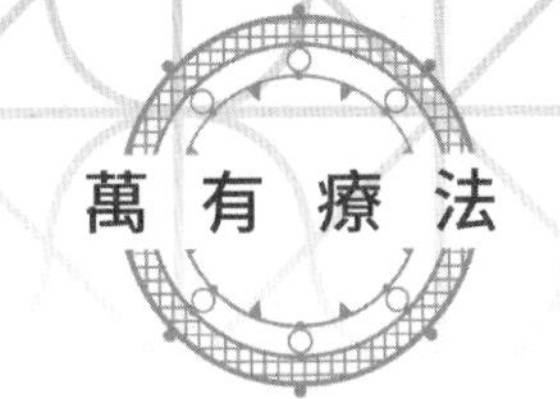

我在八時五十分到達，比預定時間早了十分鐘。沒料到，我進入演講廳之時，竟發現內裏已坐得九成滿。我連忙找個位置坐下，安坐好不久，整個演講廳就滿座了，但學生仍魚貫入場，有的坐在樓梯，有的站在演講廳最後的空位。原本能容納四百人的演講廳，擠了近六百人在內，好不壯觀！

老實說，除非課堂要點名，否則我未曾看過這個演講廳滿座，更遑論這是星期一早上九時的課——如果是一般通識課的話，準時出席率大約只有兩成。我實在很好奇這個何教授到底有什麼吸引力，可以令這麼多學生不辭勞苦來上課。

何牛準時在九時正到來。他沒有浪費時間，馬上走上講台授課。可能因為這節基礎遺傳學是通識課程，課堂的內容很簡單，就是那些隱性基因、顯性基因的東西，我在中學時已經讀過。何牛在課堂中的講解亦很正常，沒有如在電視節目中那樣瘋瘋癲癲，不，其實他在電視節目並沒有瘋癲，只是他推介的萬有療法過於神奇，很令人質疑其真實性。

我用心聽着課，但一直察覺不到這節課的吸引力。直到課堂近尾聲之際，謎團才終於解開，原來何牛把課堂的最後十

分鐘撥作問答時間，在場學生可隨意提問，與這節課無關的也可。結果可想而知，大家的問題都是有關萬有療法，希望何牛可以為自己的問題提供意見。

第一位獲得發問機會的是位男同學，他誠懇地問：「何教授，我患有腸易激綜合症，經常腹瀉，看過西醫，也沒有長遠的解決辦法。請問萬有療法可以幫到我嗎？」

何牛毫不猶豫地回應：「當然可以。腸易激綜合症是種慢性疾病，西醫沒有特效藥可治癒，主要只能紓緩症狀，萬有療法正好是醫治這類都市疾病的良藥。首先，你要保持心境開朗。身為學生的你會患上腸易激綜合症，應該是對學業成績過分緊張，造成焦慮和壓力。你只要明白，無論你的成績有多好，畢業之後其實都沒有大分別，都是背負一身學債；就算找到好工作，不久亦會被人工智能取代，保持這樣的平常心去面對學業就可以了。另外，你要減少進食蔬果，因為現在買到的蔬果，大都施加了化學肥料和農藥，令植物早開花、果實更大，但種植出來的蔬果含磷過高，未必有營養，反而會刺激腸道，少吃更能減少腹瀉機會。」

何牛這樣道出投身社會後的艱難，不怕令那個學生更焦慮嗎？另外，少吃蔬果不就會便秘嗎？所以何牛提倡的萬有療法，就是以便秘對抗腸易激綜合症？的確，便秘就不會腹瀉，這真是新穎的方法啊！

第二位發問的人看來比較成熟，似乎不是學生。她說：「我的兒……咳，我正在讀……夜校，但總是無法牢記英文生字，最近學一至十二月的英文，除了五、六、七月以外我都記不起來。請問有什麼方法嗎？」

我以為這種情況無藥可治，怎料何牛同樣沒有多想，就馬上回應：「你的兒……你應該患有Hippopotomonstrosesquippedaliophobia。」

「What?」我聽到那個超過十個音節的怪字，驚訝得突然吐出英文，而場上竟有不少人也跟我一樣的反應。

那名女子想當然地反問：「那是什麼？」

「中文是長字恐懼症。」何牛解釋，並建議療法：「我相信你會這樣問，代表你不是記憶力特別弱，只是無法牢記英文生字，很可能是因為某些原因，令你對英文產生抗拒。解決方法是要先重拾自信，不恐懼失敗。建議你可以用『萬有牛油』和『萬有低筋麵粉』，將Hippopotomonstroses-quippedaliophobia這個字製成曲奇，用來玩玩拼字。但無論成功抑或失敗，都不要懲罰他……不要懲罰自己，開開心心地把曲奇吃掉。多試幾次，你就會慢慢對英文生字不再恐懼。」

何牛話畢，把那個意思是長字恐懼症的長字投射在熒幕，讓那名女士抄下。看到她順利地把這個字抄下，在場的人不禁哄笑，因為患有長字恐懼症的顯然不是她。

H for Hippopotomonstrosesquippedaliopho-bia！她的兒子能夠記下這個生字的話，肯定能成功建立自信，之後什麼都不怕，因為實在很難找到比這個字更長的字了。

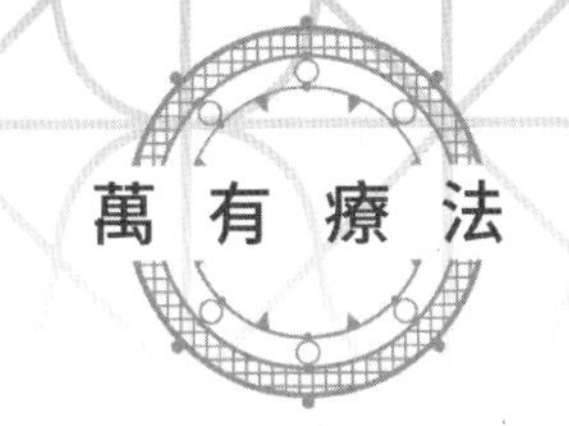

第三位發問的也是位女士，她不隱瞞自己不是學生，乾脆地問：「我的丈夫有酗酒的問題，無論我怎樣努力勸說，他都不肯改。我有沒有什麼可以偷偷做來改變他呢？」

「人除非覺得自己必須改變，否則其他人很難改變另一個人。」何牛的第一句話令人沮喪，我以為這次他真的沒轍了，但他竟然也能提出應對方法：「你可以購買『萬有雜菌包』，用來煮成湯或餸菜，一星期兩至三次，你的丈夫就會慢慢不再飲酒。」

女子追問：「我只煮給他吃嗎？他不就會起疑？」

何牛回應：「不，萬有雜菌本來就是健康食品，你可以用來做晚飯，一家人一起吃。有酗酒問題的人多吃會遠離酒精，沒問題的吃了也可預防酒精上癮。」

吃雜菌可以戒酒和預防酒精上癮？太神奇了吧？

接下來還有數人提問，其間我亦有不斷舉手，希望有機會質問何牛。皇天不負有心人，到最後一道問題時，他終於選中了我。

我吸了一口氣，站起來高聲說：「我不明白，為何生物學教授會認同和推崇那個什麼萬有療法，那些療法聽起來總覺得似是疑非。」

場內幾乎都是他的支持者，聽到我的意見後馬上起哄，甚至想聲討我。這是我意料之內，但我沒料到，何牛竟為我說項：「請大家肅靜，我們要尊重不同人的意見。」

全場乖乖肅靜。我怔了一怔，何牛反問我：「我明白你的意思，你是覺得萬有療法不科學，對嗎？」

「對，我認為相信萬有療法的人，根本就是信巫不信醫。」

「但我不是巫師，也沒有降頭、巫蠱、符咒等靈異東西呢！萬有療法內的東西，不少都有科學根據，例如我們售賣的所有萬有食品，都經有機和不污染環境的方法培植。」

「那你為何會教人食用生番茄？我指的是綠色、未成熟、含有劇毒龍葵鹼的生番茄。」

「慢着！」何牛眉頭緊皺，為自己辯護：「我沒有教人吃綠色番茄啊！」

「你有，我媽就是聽了你的話，信以為真，差點中毒。」

「你聽我說，我是有建議大家購買未成熟的番茄，但沒推薦大家食用啊！」

我不解地追問：「那買來做什麼？」

「用來觀賞。多看綠色植物，對眼睛好嘛。」

「誒？」我一時間為之語塞。我想起媽媽說過，「牛河教授說，未成熟的綠色番茄對眼睛很好。」當中的確沒有提及未成熟的綠色番茄是用來吃，難道只是我媽誤會了？

問答時間亦在此結束，何牛步出演講廳，演講廳內的人亦陸續離開。

事隔數天，社會上出現了幾宗吃了生番茄而中毒的緊急求醫個案，其中一人更因吃下多個而危殆，幸而綠色番茄內含的龍葵鹼低於發了芽的馬鈴薯，最終並沒有人因此而死亡，算是不幸中的大幸。

傳媒當然把矛頭直指何牛，何牛承認自己說得不好，令觀眾誤會，鞠躬向市民道歉。

事後我翻查何牛提及生番茄的影片，他的確沒建議大家吃生番茄。不過，他是在教人食用一堆含有花青素的水果後，突然建議大家還可以購買未成熟的綠色番茄，說『也對眼睛很好』。

他真的只是恰巧說得不清楚？我不同意，這種說法顯然是存心誤導，但他為何要這樣做呢？此刻我當然沒有答案。

我以為發生這件中毒事件後，萬有療法的熱潮會減退，豈料信徒不減反增。篤信者因為這次事件，覺得批評萬有療法的人是斷章取義，或因不懂得真正的科學而無法理解萬有療法背後的理論，才會認為療法不科學。也有一些本來不認識萬有療法的人，因着這件事而留意到他，發現到萬有療法的厲害，並成為新的信徒。

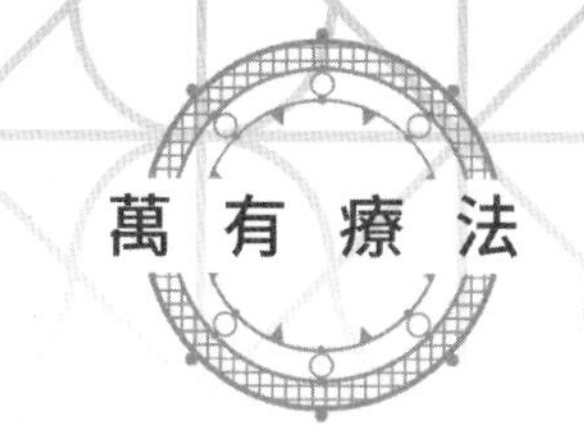

倒是媽媽後來看到新聞，知道自己當日差點中毒後，終於相信我。我表示我覺得萬有療法很古怪，當中有合理也有古怪之處，吩咐她暫時不要輕信。她說她見過鬼已怕黑，不敢再亂試牛河教授推廣的東西了。唯一可惜的是到最後她仍堅持叫那個人做牛河。

我的心中仍多少存有不忿，畢竟媽媽曾經受騙，買了一堆沒用的垃圾回家之餘，又差點中毒。但既然媽媽不再相信何牛，我本來不打算再深究。可是，萬有療法的風潮愈吹愈烈，即使我不主動尋找，仍不時看到相關的資訊，身邊更開始有不少同學成為萬有療法的信徒。

在萬有療法的資訊不斷衝擊下，約一星期後，我終於驚覺自己一直忽略了一件重要的事——何牛是生物學的教授，不是營養學，也不是中西醫學的專家。我到大學網頁一看，發現他的研究專長是生物演化和環境保護，跟萬有療法風馬牛不相及。

也就是說，何牛推廣萬有療法，背後肯定有不為人知的目的。

何牛背後還有另一重目的，這件事本來與我無關，但剛巧我在研究上遇到瓶頸，心中又有點不忿，於是當作轉換心情，嘗試調查一下何牛的葫蘆裏到底賣什麼藥。

他的遺傳學通識課在逢星期一、三、五早上九時舉行，我決定如上次一樣，去聽他的課，最重要當然是留意他在問答時間的反應。

我連續去了兩個星期，除了當中有一天是測驗日外，共去了五節課。五節課後，他都讓出席者（無論是否學生）提問。大部分人都是提及自己的煩惱，希望何牛推介相關的萬有療法；也有少數人是批評他之前的建議無效。面對批評，何牛回應指萬有療法純天然，所以有時候成效較慢，也可能對部分人效果較差，建議最少堅持三個月，三個月後仍無效再找他，轉用其他方法。評批者對此大都感到滿意。

隨着我去上課的次數漸多，我對於何牛的不協調感倍加強烈。他在課堂上說的都是尋常的遺傳學和生物演化論，課後的問答環節卻盡是不科學的萬有療法。正所謂「醉翁之意不

在酒」，出席課堂的人沒有多少個是認真聽課，但不出席霸佔有利位置，就不可能成功發問。當然，演講廳內有人呆坐，也有不少人倒頭大睡，但我留意到何牛從不會讓曾在該節課睡着的人提問。何牛在講課的同時，顯然亦有對出席者細心觀察。

而這一點，在第三星期就得到確認。在我旁聽完第七節課後，何牛下課時竟主動走過來說：「我認得你，你這幾星期都有來上這節遺傳學的課，但你應該不是正式報讀了的學生吧？」

「咦？你怎知道？」

「因為測驗那日不見你。」

「呃，對。」我回應。何牛的觀察力令我有點驚訝，我不安地問：「你不歡迎我來嗎？」

「又不是，但我記得你之前說過萬有療法不科學，你現在仍這樣覺得嗎？」

我堅定地回應:「當然,這一點是沒有變的。」

「所以你是來找我的痛處嗎?哈哈。」

「不……」我看到何牛毫無架子地跟我談話,我也決定實話實說:「我起初的確是對你沒有好感,但現在只是想不通你為何要花時間推廣萬有療法。我覺得你是故意在不科學的療法中加入合理的部分,背後似乎還有什麼目的。」

「這裏不方便說話……」何牛的神情變得凝重:「你是這裏的學生吧?」

「對,我是計算機科學系的博士生。」

「太好了!你現在有空跟我回辦公室多談一會嗎?」

我不知道何牛邀請我的目的,但他看來沒有惡意,這裏又是大學,照道理他不會對我不利,我於是決定跟他走一趟。一路上,他問到我的研究,我簡單說明過後,也提起自己在研究上正遇到瓶頸。不知怎的,他竟顯得很高興。直到抵達何牛的辦公室,我聽到他的一句話後,終於明白他在想什麼。

「我想邀請你轉過來生物系，當我的博士生。」

「誒？何教授你搞錯了，我剛才說過我是計算機科學系的，我的生物學只有中學程度，不可能當你的博士生。」

何牛搖搖頭說：「你知道為什麼所有研究式博士學位，都會稱為『哲學博士』？儘管大家的專長不一樣，但都是研究學問和道理，對某學科的研究到達其哲學層面並能擴闊該學科現有的知識範圍，因而得名。所以，即使你不是讀生物出身也沒關係，最重要是你的性格非常適合。知識可以慢慢培養，性格卻難以改變。」

「你的意思是，我的性格很適合當你的研究生？」

「當然。你既有求知精神，又不畏強權，竟敢在我的課堂上，當着數百名萬有療法的支持者批評萬有療法。」

「因為……那真的是不科學嘛……」我臉泛微紅，戰戰兢兢地說。

「就是這點最難能可貴。現今社會上不少人，對於權威人士說的話都唯唯諾諾，即使覺得對方的話有問題也不敢開口，一方面怕得罪人，另一方面又想借奉承他人來獲得好感，期望將來會得到好處。抱着這種態度的話，要在其他行業平步青雲或者不難，但就無法在研究上有突破，也難以為社會作出什麼貢獻。」

面對何牛的讚賞，我一時間不知如何是好。我自問哪有他說得那麼完美，只是不甘媽媽受騙，心有不忿，才會找他算帳。不過，他也說得沒錯，研究和創作的特質就是反叛，沒有質疑現有東西的批判性思維，的確很難找到突破的缺口。我好奇地問：「我跟隨你的話，將會做哪方面的研究呢？」

「關於環境保護，以及改善未來人類演化的研究和工作。」何牛認真地回應。

我想起我在大學網頁中看過，何牛的專長正是這兩方面，但這都看似跟萬有療法完全無關，我才會好奇地追尋原因。我於是追問：「不是做萬有療法的研究嗎？」

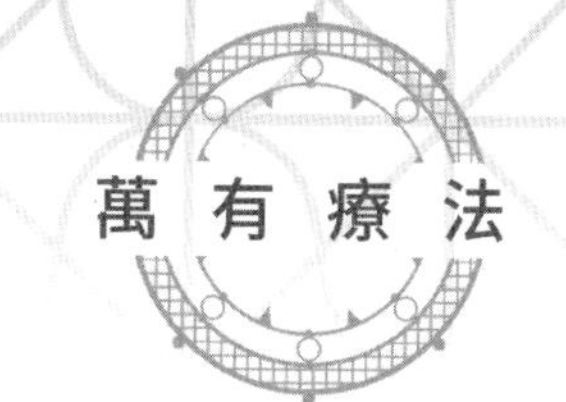

沒料到，他正好把兩者連結起來。何牛眨了眨眼說：「萬有療法就是為了保護環境和改善未來人類的演化啊。」

我一臉狐疑地說：「萬有療法除了採用有機方法培植之外，跟環保好像沒有其他關係了，更遑論人類演化。何教授，我是誤會了什麼嗎？」

「這不怪得你，我應該跟你說得直白一點，你才會明白萬有療法的價值所在。」何牛以一道問題展開說明：「你有聽過達爾文獎嗎？」

我想了想，卻沒有答案：「我好像有聽過，但又不記得實際上是什麼。是跟諾貝爾獎差不多，用來表揚得獎者在某方面的傑出成就嗎？」

「如果要找相似的獎項，應該是跟搞笑諾貝爾獎差不多。」

「什麼？」我吃了一驚，也想不通何牛到底在說什麼。

他看到我一臉茫然，就直接解釋：「達爾文獎是個帶有惡搞性質的獎項，表彰那些以愚蠢方式自毀或讓自己失去生殖能力的人，從而讓自己愚蠢的基因不再傳播下去，間接改善了人類基因庫。萬有療法正好跟達爾文獎有一脈相承之處。」

稍頓一下，何牛續說：「『物競天擇，適者生存。』這是生物演化論的基本，但在人類的世界，因為社會規範、道德倫理、自由等，不單令這原則失效，更甚是惡劣的基因反而不斷繁衍下去。我們經常看到理性有智慧的人選擇不婚或不生小孩，不適合當父母的人卻大量生育，禍延後代。我推廣的萬有療法，就是要重新確立『物競天擇，適者生存』的原則。」

我為何牛的瘋狂怔了一怔，但這完美地解釋到何牛為何會花時間推廣那種偽科學萬有療法。我緊接着追問：「所以你推崇不打疫苗，以萬有療法替代正統醫學，就是為了讓愚蠢的人承受惡果？」

「對！」他雙眼閃着亮光，肯定地回應：「你較早前說過，信奉萬有療法的人根本是信巫不信醫，你其實說得完全正確。

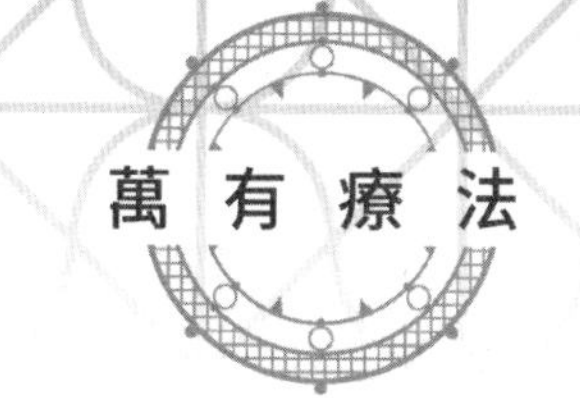

那些人寧可相信我隨口建議似是疑非的古怪療法，也不相信已有數百年歷史、有嚴謹科學基礎和實驗的醫學理論；相信那些沒有根據和論證的疫苗陰謀論，也不相信數之不盡的醫療團隊努力過後的成果。其實，那些陰謀論真是要多少有多少，我也可以隨口說『疫苗陰謀論』是某些國家為了削弱西方國家人民健康而編造出來的陰謀。」

「但……」

我想為那些人辯護，但何牛打斷了我的話：「我明白，傳統醫學固然有其問題和局限，但因此就貿然以自己的健康來冒險，去嘗試沒有根據的偏方，簡直是愚蠢至極。既然他們相信我說的萬有療法，就得承受風險，為自己的愚蠢負責，即使被自然界淘汰也是咎由自取。而且，他們的愚蠢還有另一重意義，那些購買萬有產品的錢，我都會拿來推動環保和科研，造福社會。」

聽過何牛的說明，我總算明白萬有療化跟他研究專長的關係，也明白生番茄一事既是陷阱，也是提醒，只可惜我媽就掉進了這個陷阱。

何牛的想法整體上很有意思，愚蠢的人類實在太多，早已令我喘不過氣來，我聽着何牛的研究已覺得很熱血。不過，我不大肯定這樣做是否道德，始終對於久病不癒的病人來說，為了康復而藥石亂投也是無可奈何之舉。

我跟何牛說我要回去考慮一下，畢竟這是重大的決定。他沒有反對，還說如果我即場拍板的話反而是個不理智的行為。

可是，我對何牛的所作所為是否道德還是有點猶豫，最終過不了自己的良心，沒有轉投何牛的陣營。

不知道是幸還是不幸，萬有療法的風潮起得太快，惹來不少學者的批評，也引起政府執法部門的注意，三個月後，何牛因無牌行醫、教唆他人自殺等罪名被捕。

後來我也明白當日何牛在演講廳內，為什麼會推介那中年女士烹煮萬有雜菌包給丈夫吃來戒酒。據報道說，經政府化驗，萬有雜菌包中含有滑蓋蘑菇，服用後再飲酒會出現噁心、嘔吐、呼吸困難等症狀，但一般無須就醫，症狀會在數小時後消失。滑蓋蘑菇的效用跟戒酒藥物二硫龍相若，但劑量控制不當的話有機會出現血壓過低等嚴重反應。何牛的萬有療法確是真假難分，陷阱處處，我沒有加入他的團隊可能是明智的抉擇。

儘管如此，萬有療法這段小插曲卻並非對我毫無意義，我因着這段經歷獲得啟發，找到了自己的方向。我放棄了博士學位，成立了自己的初創公司，利用近年興起的虛擬實境技術，開發ＶＲ愛情動作遊戲，並配合人形和杯形體感裝置，令男士沉溺於二次元的世界，減少生育，源頭減廢，間接減少人口增長，阻止愚蠢的人類繼續繁衍。我可說是繼承了何牛的「遺志」，在自己的專業範疇內推動環保。人類本來就是碳排放的根源，想辦法減少人口，比起提倡擾民卻沒有相應配套的環保政策有效得多！

你可能會問：錢從何來？經萬有療法一役後，媽媽已認定了我的智慧和才能，對我百般信任。我說VR愛情動作遊戲配合體感裝置是個劃時代的發明，能治療陽萎，造福萬民。我還動之以情，說我自從青春期那時被她在底褲內「加料」作弄過後就一直不舉，是這個計劃幫助了我。雖然自認陽萎是有點委屈，但結果才是最重要，她竟信以為真，為她當年的衝動道歉，並全力在資金上支持我。她的愚蠢總算是有點用處，哈哈！

時間旅行社

作者： 望日
責任編輯： Carmen Cheung
設計排版： Tech Us Company Limited (techus.hk)
封面及內頁圖片： Freepik.com

出版： 星夜出版有限公司
網址：www.starrynight.com.hk
電郵：info@starrynight.com.hk

香港發行： 春華發行代理有限公司
地址：九龍觀塘海濱道 171 號申新證券大廈 8 樓
電話：2775 0388
傳真：2690 3898
電郵：admin@springsino.com.hk

台灣發行： 永盈出版行銷有限公司
地址：231 新北市新店區中正路 499 號 4 樓
電話：(02)2218-0701
傳真：(02)2218-0704

印刷： 嘉昱有限公司

圖書分類： 科幻小說 / 流行讀物
出版日期： 2019 年 7 月初版
ISBN： 978-988-77905-8-7
定價： 港幣 88 元 / 新台幣 390 元

Published and Printed in Hong Kong